am 6:30 dec.23

ふたりはテーブルに向かい合って。

ごはんも食べるし、コーヒーも飲むし、しゃべりもするし、"なんでもノート"に書いたりもする。
そうして毎日を繰り返しながら、世界のどこふうでもない世界をつくっている。

THIS IS THE ONE : NOTHING BUT TRUCK

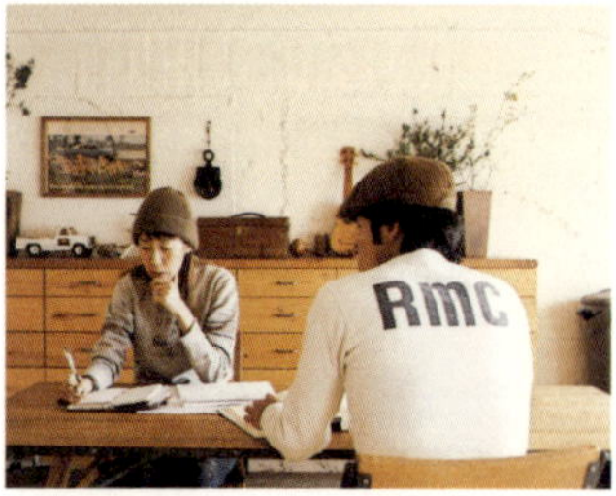
RMC

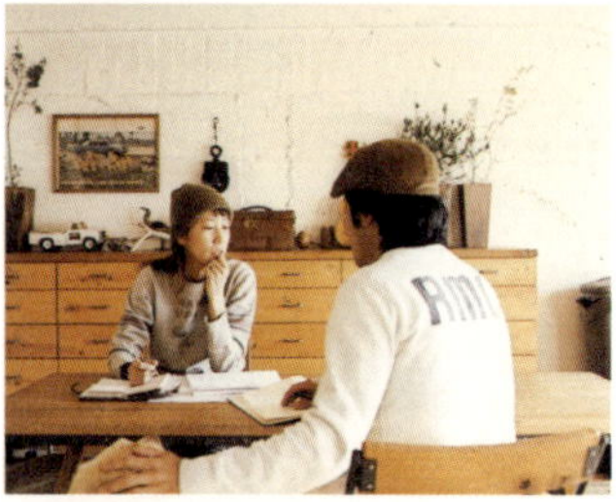

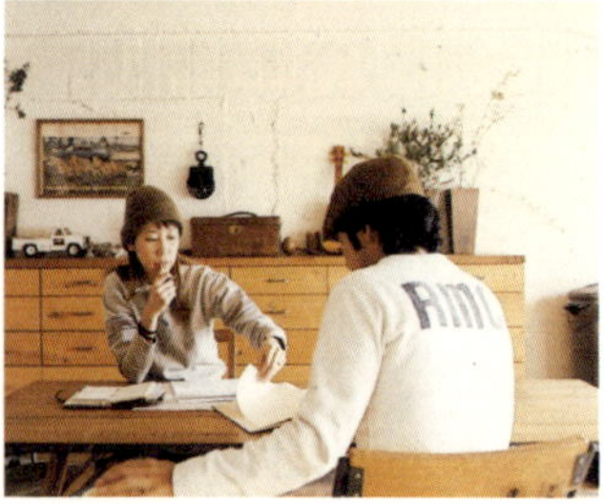

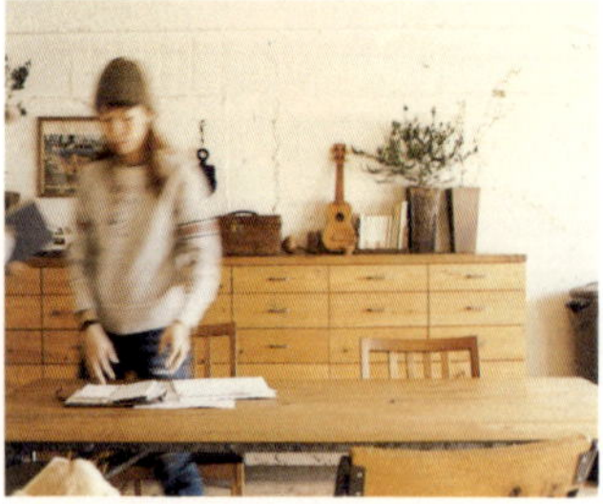

この本にはおおよそ、ある1軒の家具屋について、あれこれと書かれている。
便宜上「1軒」と書いてしまったが、ほんとうは店は2軒ある。
そこは、カニやらフグやらの看板がある大阪の中心よりもやや外れで、
ゆるやかな坂（自転車だとちょっとスリリングなスピードになるくらいの）
を下りきった国道沿いに1軒め。そのひと筋裏手に2軒め。
どちらもオリジナルの家具と雑貨を扱っている。
どっちが何店とか、何ゾーンとか、何ふうとかは、べつにない。

つくったのは、あるひと組の夫婦。これも便宜上、夫がトリ、妻がヒリとしておこう。
トリとヒリは、国道沿いのほうの店と同じビルの2階で暮らしている。
光がわんさと差し込むリビングダイニングに、ベッドルーム、キッチン、ベランダ。
同居人は、4匹（！）の犬と、8匹（！！）の猫。彼らの名前はのちほど紹介するが、
ひとくくりにする時は、深い愛をこめ「わんにゃん」と呼んでいる。

家具は裏手のほうの店の1階にある工場で、トリが中心となってつくられている。
3階は店、2階は作業場兼倉庫。だから客が店に行くためには、そこを通ることになる。
家具のディスプレイや、雑貨を担当するのは主にヒリ。
またハンドメイドの雑貨も「シロクマ舎」という、ヒリのアトリエでつくられている。
（ここもまた、2軒の店のどちらからでも徒歩約1分という近さ）。
ちなみにこれらの場所は、ほぼふたりだけの力でつくった。

したがってトリとヒリとわんにゃんは、基本的にいつもひとところにいる。
生活とものづくりがさも当たり前のように寄り添い、いささかも分け隔てられることなく、
数百メートルのエリア内で、おしなべてまかなわれている。

この本には、ある1軒の家具屋のそんな日常と、
日常から生まれる、特別なものづくりについて、あれこれと書かれている。

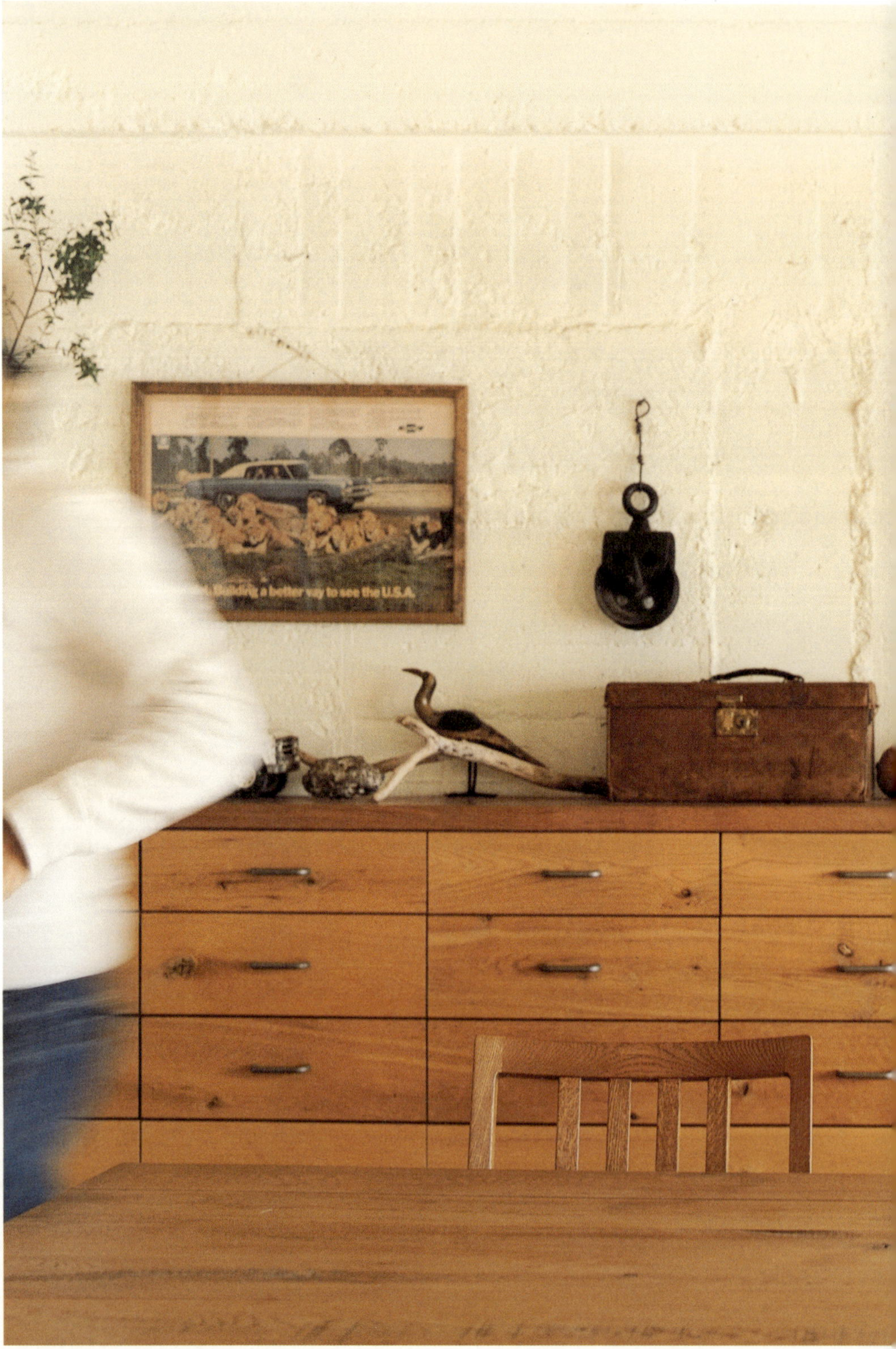

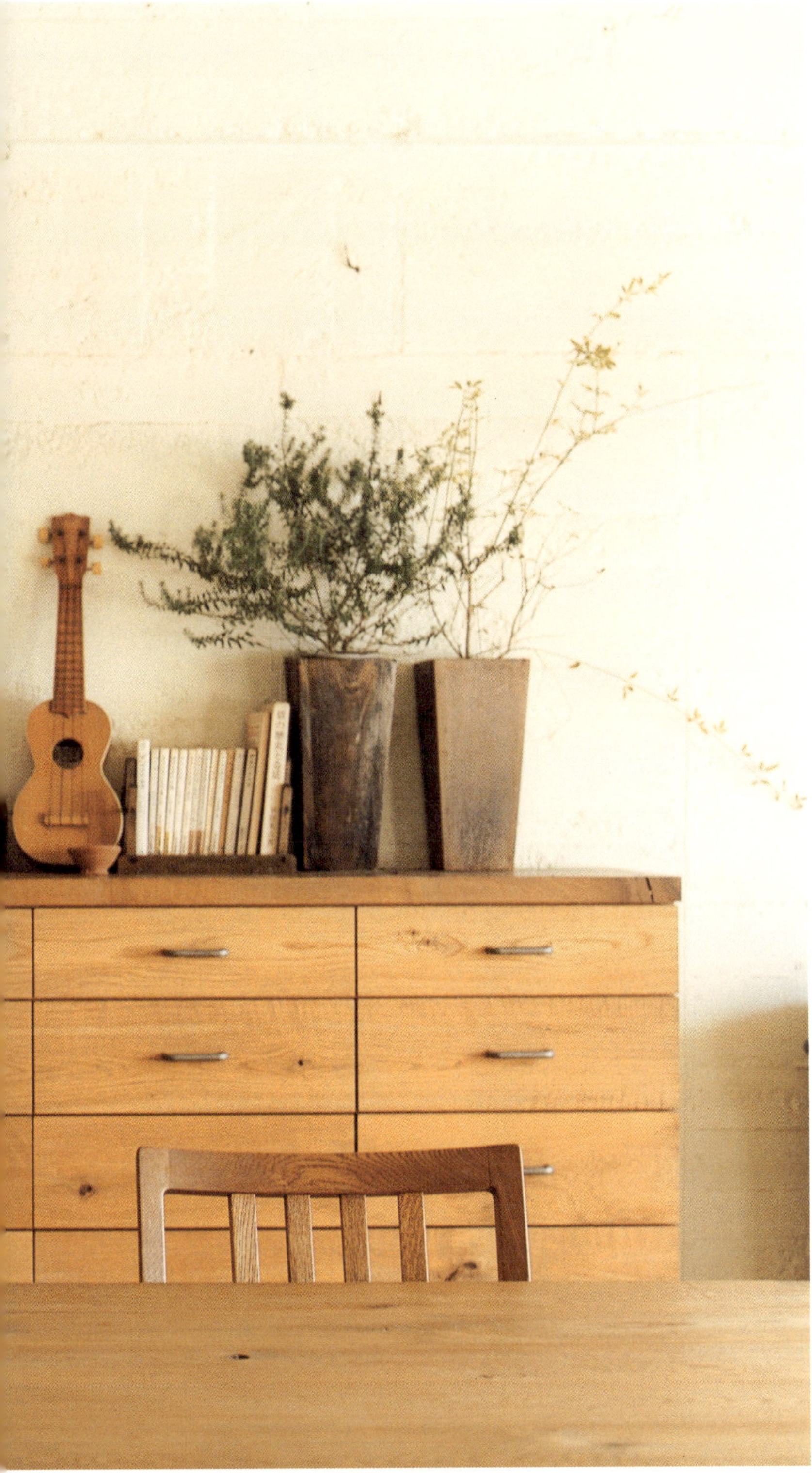

MAKING
TRUCK

Approx. 232 PICTURES - 192 PAGES - 128 IN COLOR

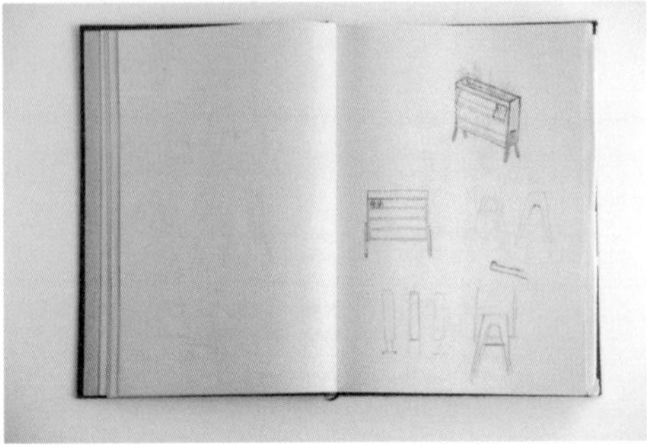
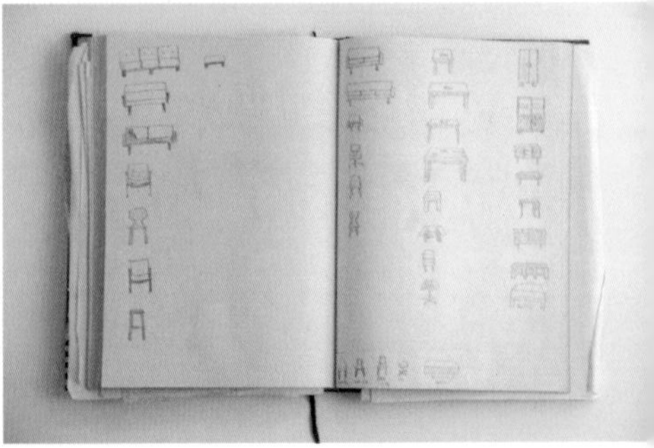
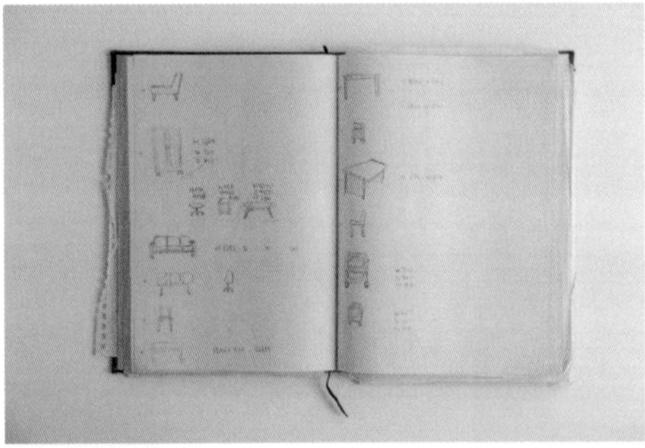
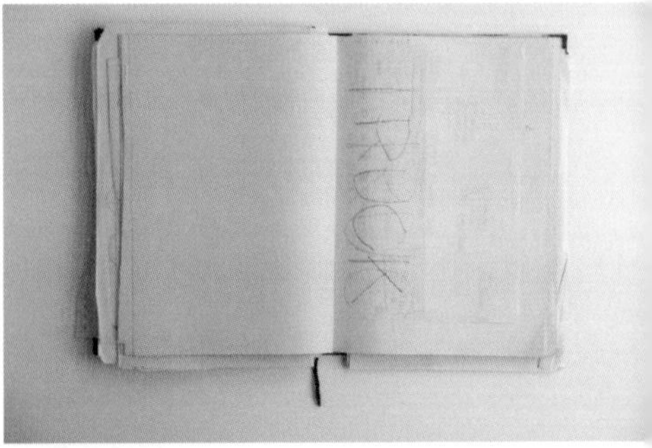
TRUCK
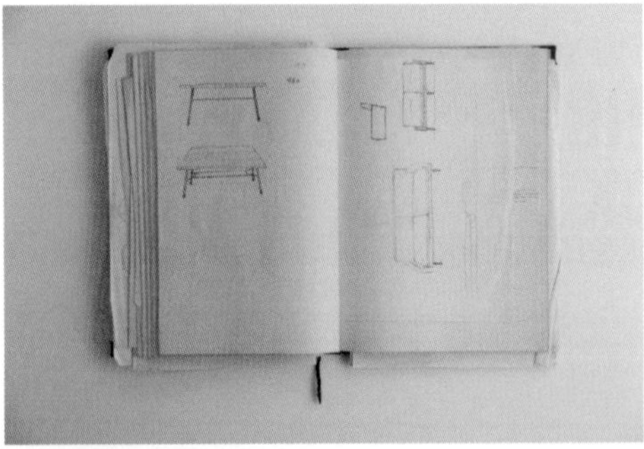
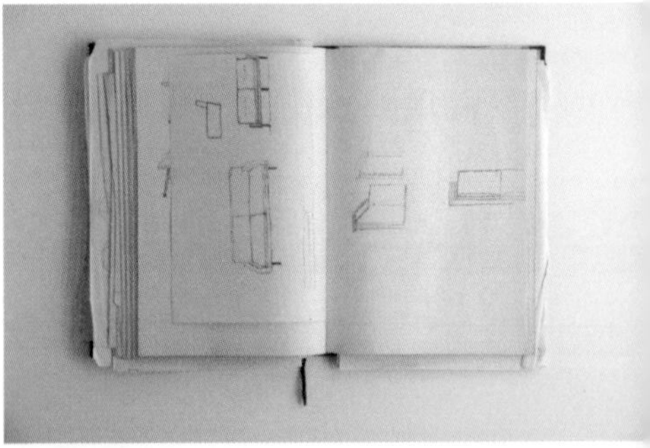
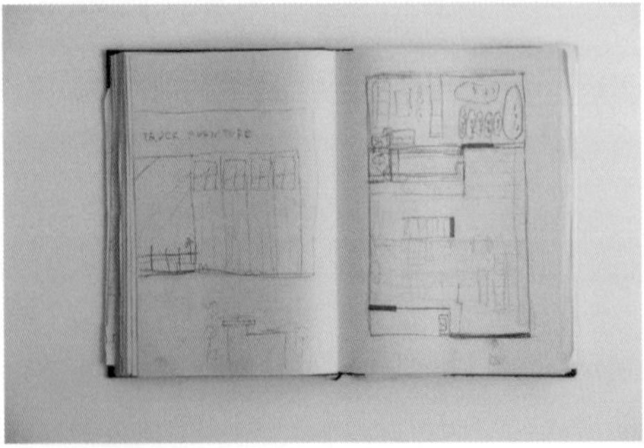
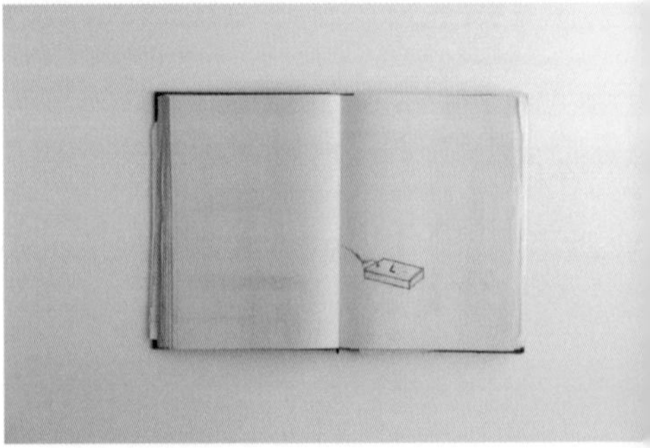

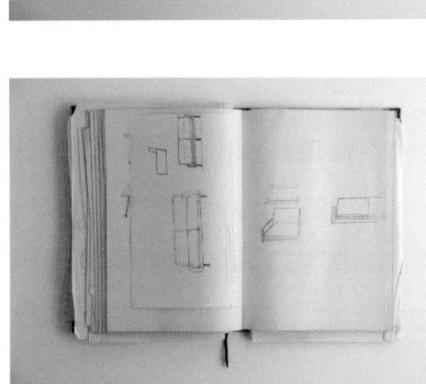

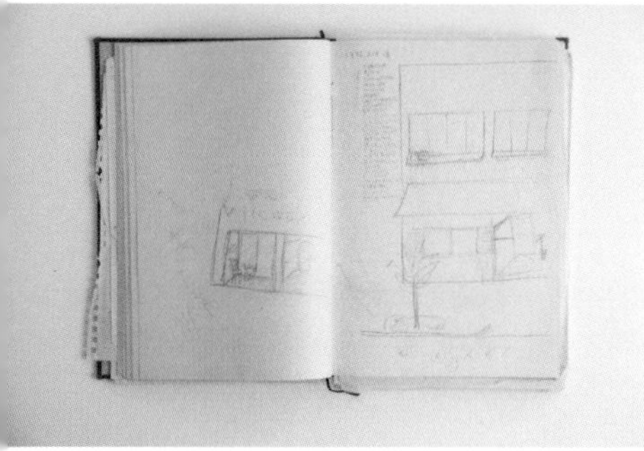

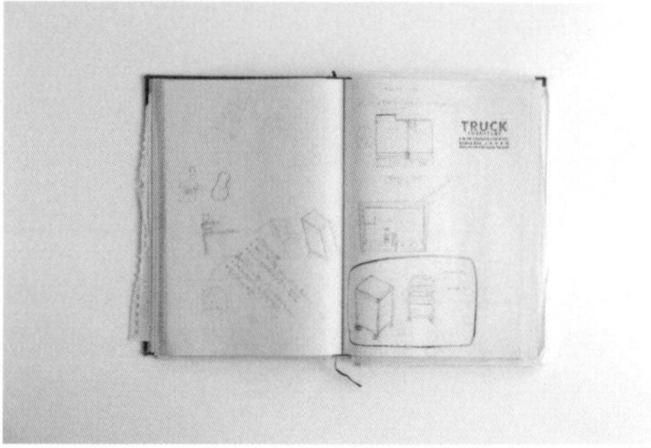
TRUCK

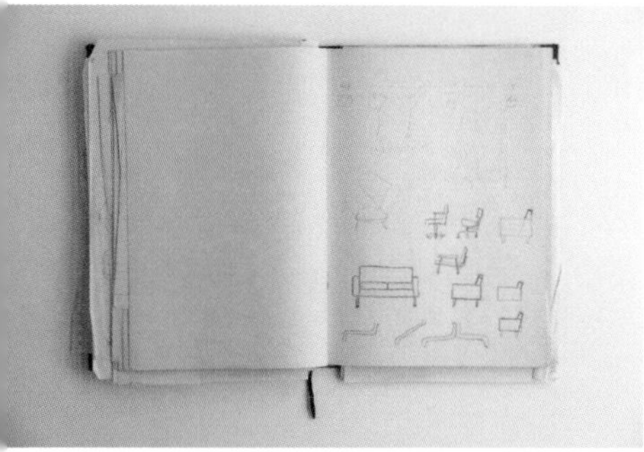

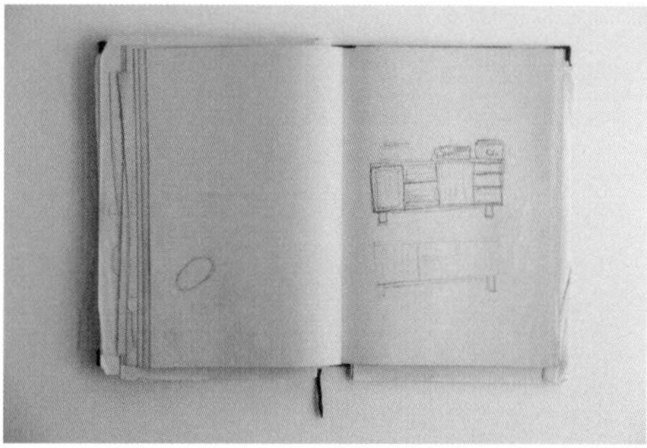

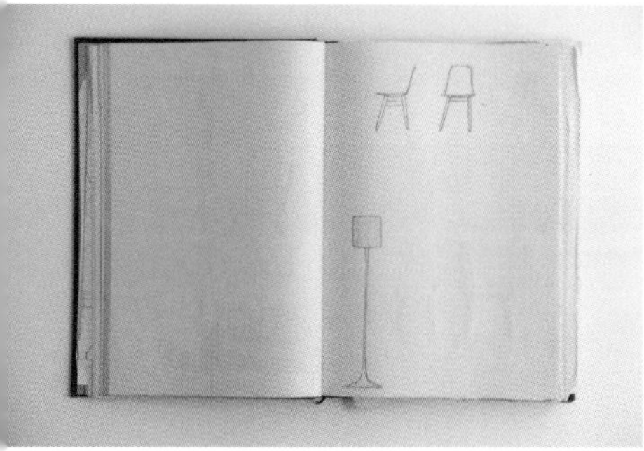

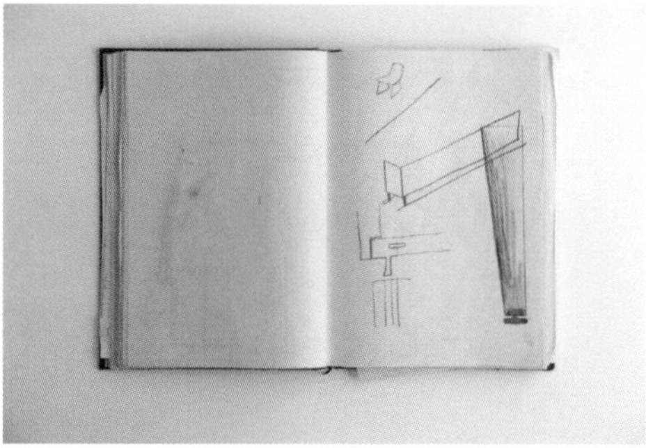

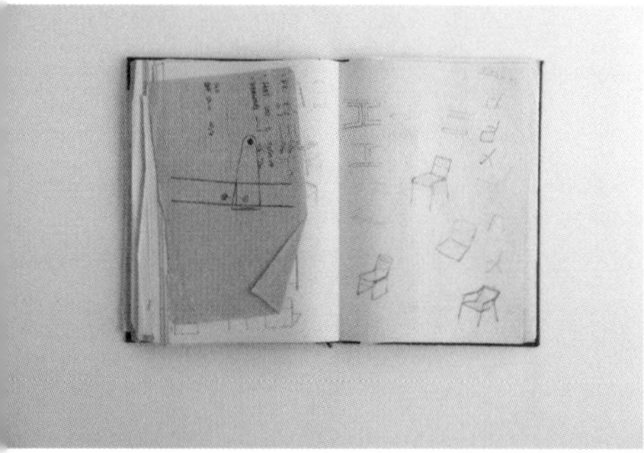

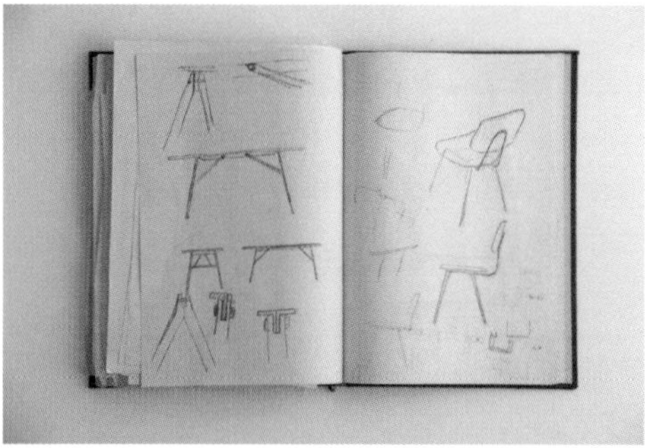

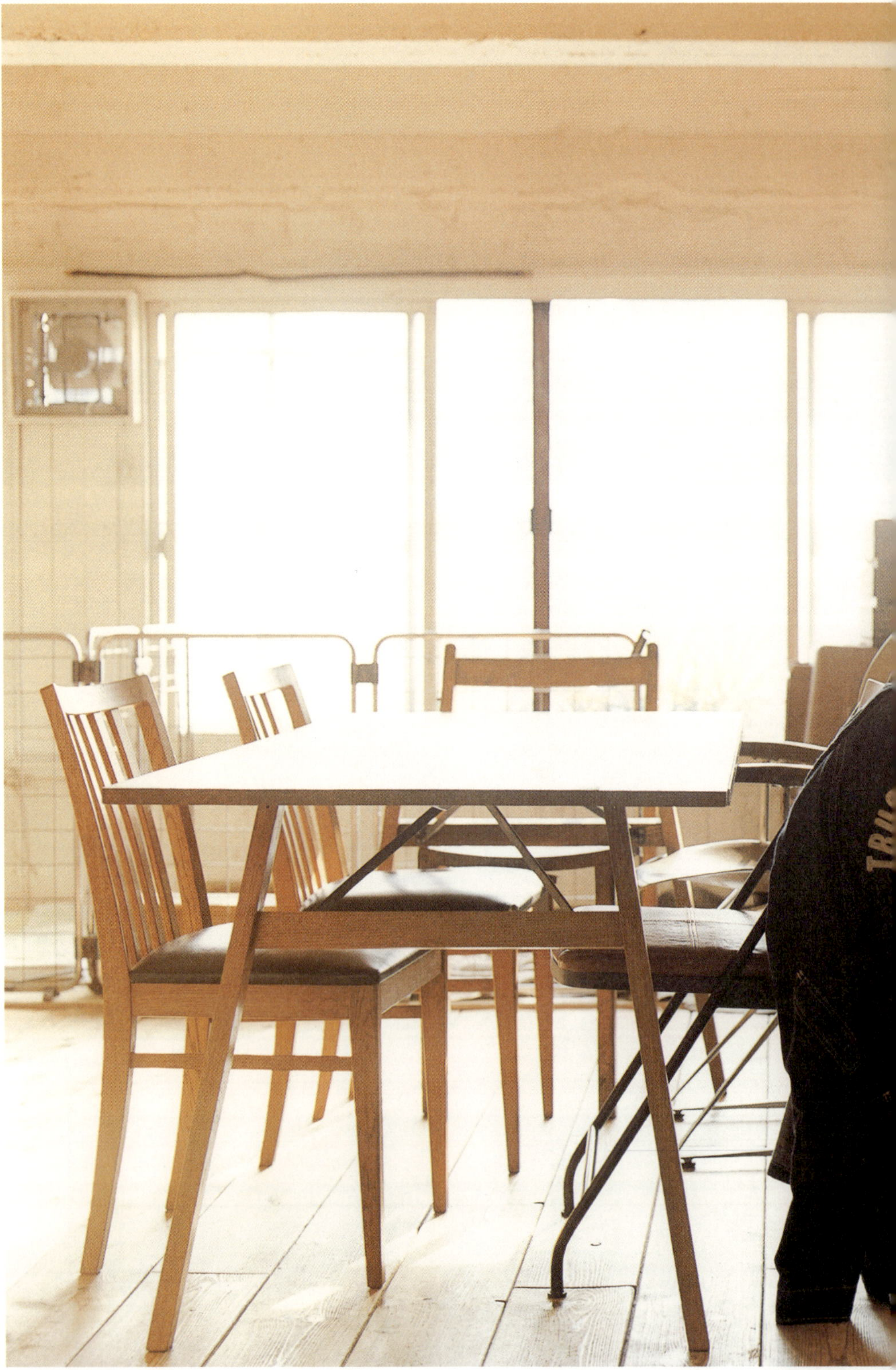

13

14

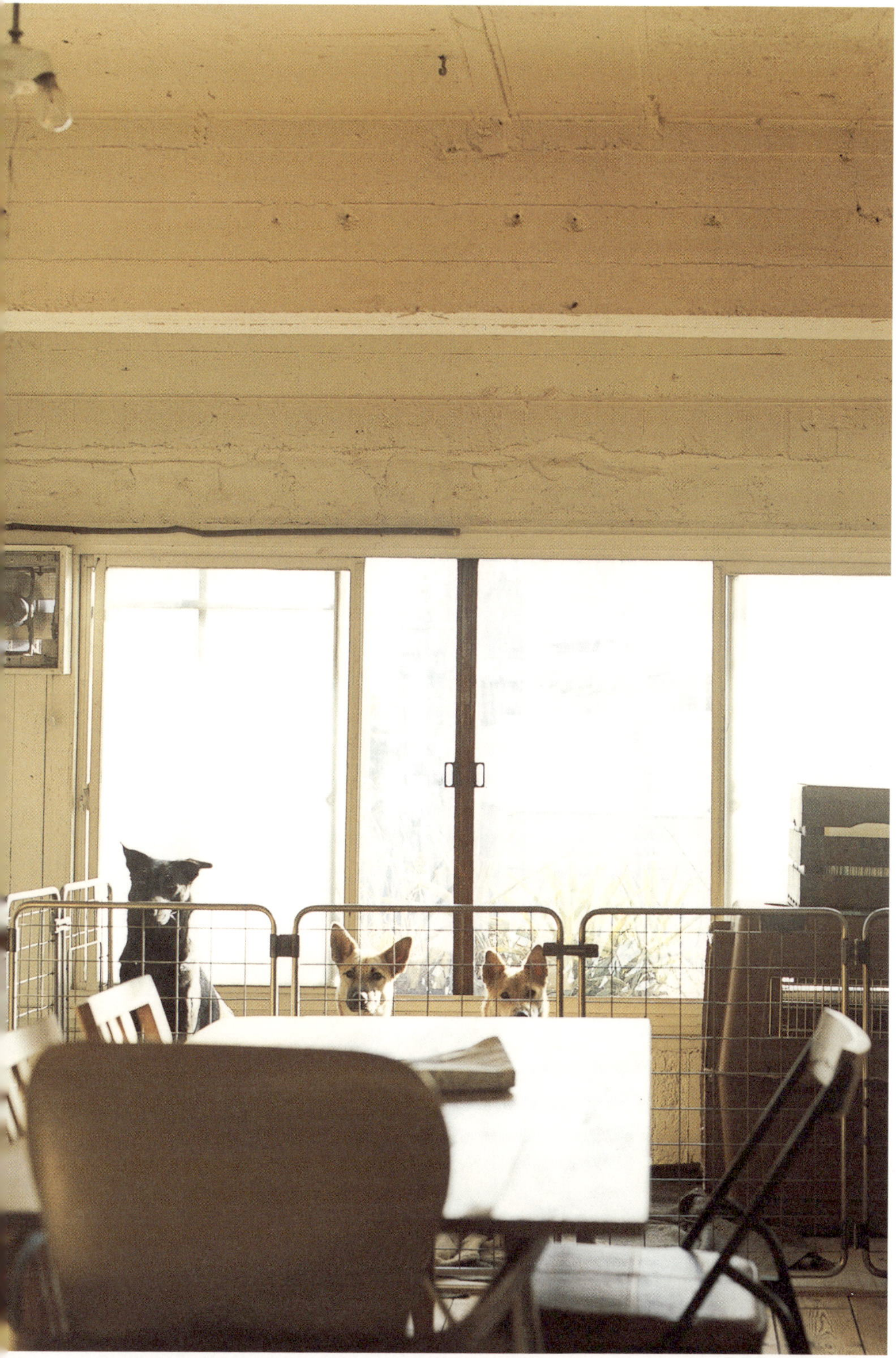

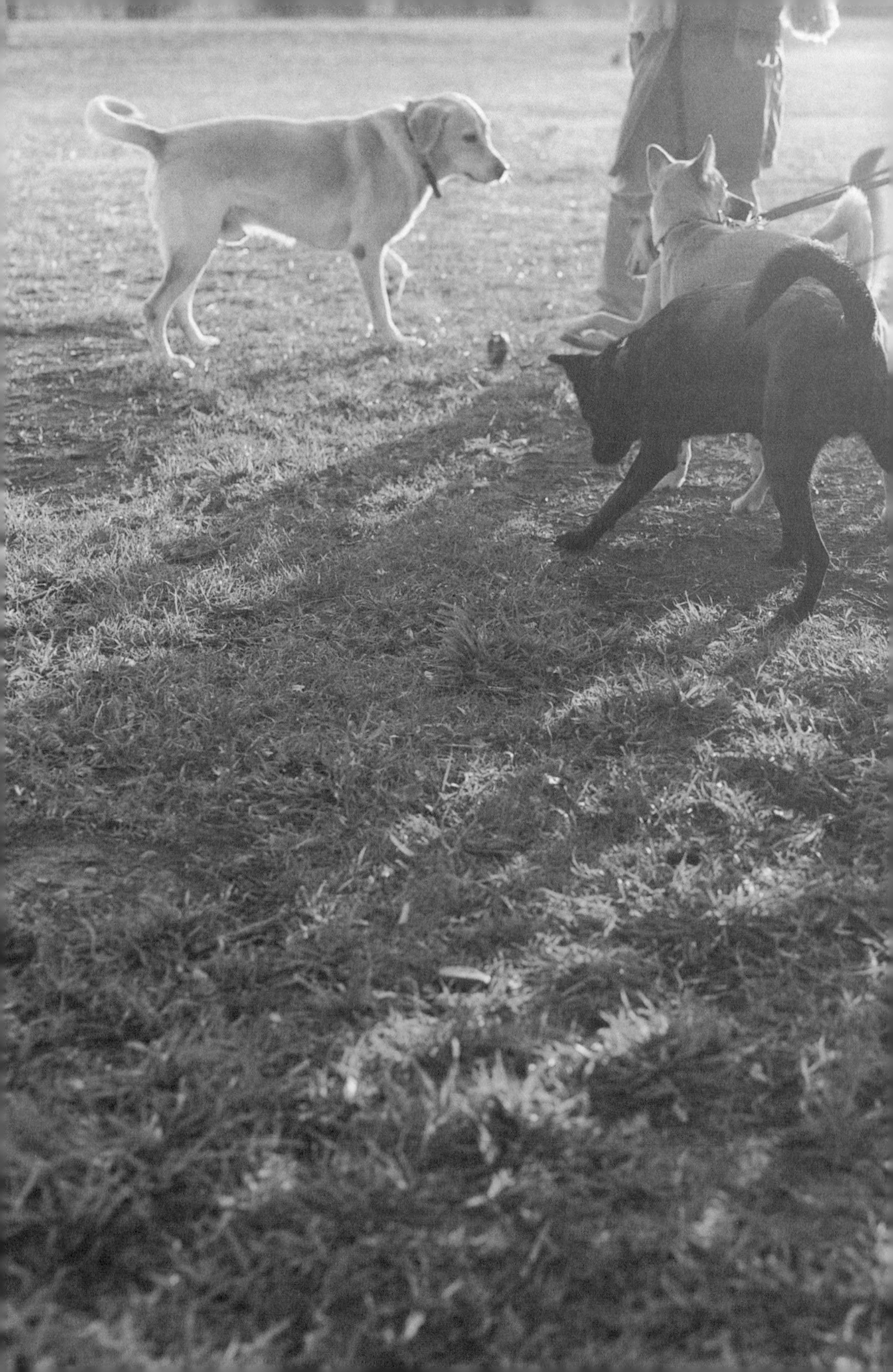

17

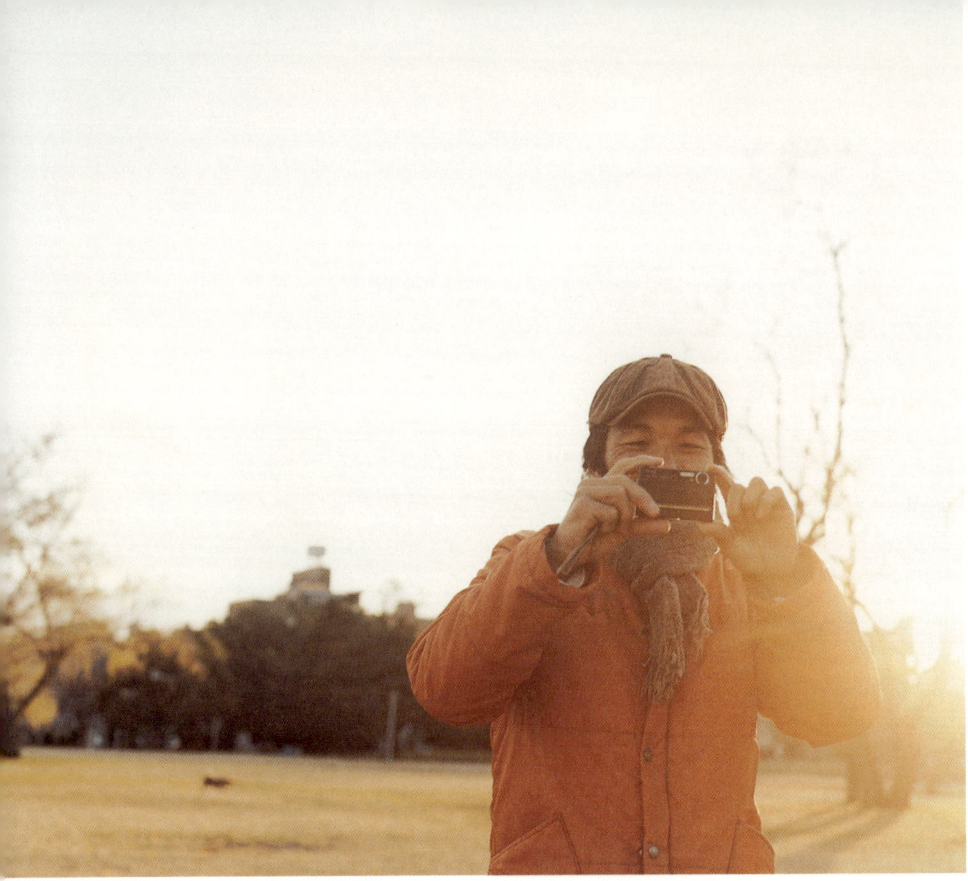

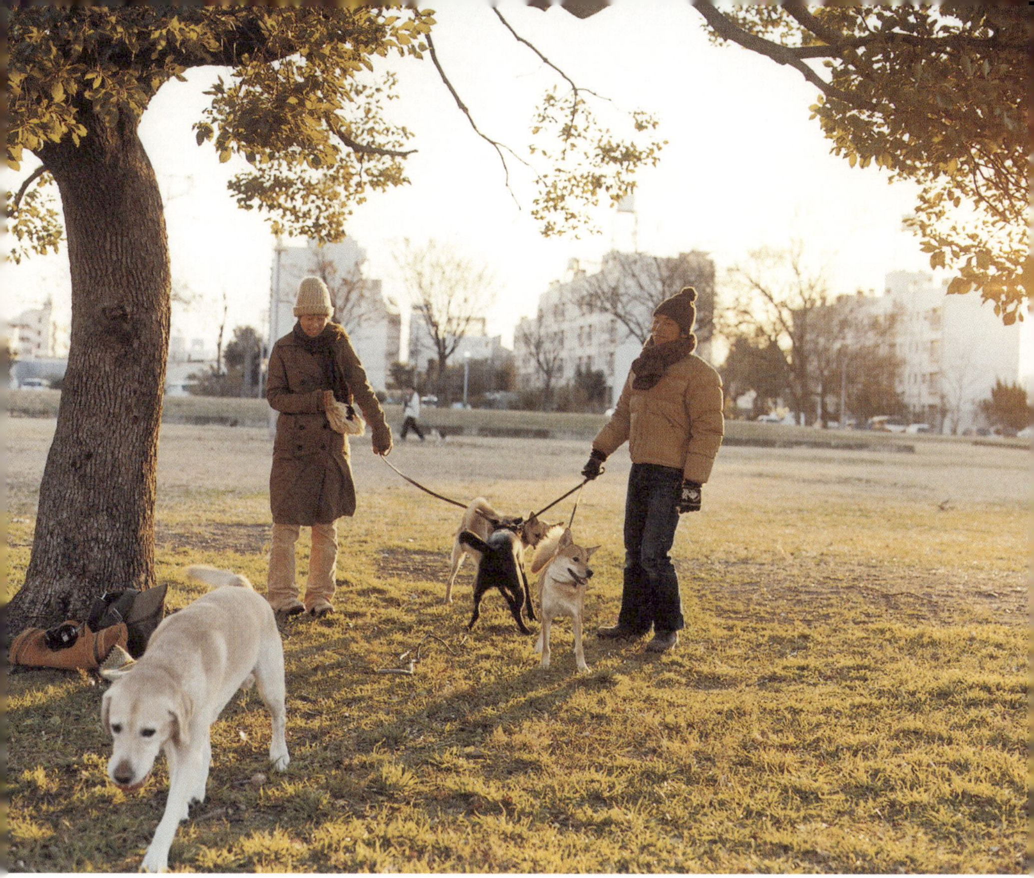

20

起きて今日が始まるとまず、トリは犬といっしょに朝の散歩に行く。
最初は2匹ずつだったけれど、今は慣れて4匹いっぺんに。
はたから見れば、あたかもサンタクロースよろしく、
そびえ立つ公団の給水塔の脇の道を通り抜け、タッタカ駆け上がること5分。
やがてたどり着いた難波宮公園は、公園と呼ぶにはあまりにも何もない。
遠くまで見渡せるほどの芝生がえんえんと続いていて、
柵もないしベンチもない、道もなければ子どもの遊具だってない。
あるのは、大きな木がところどころに、ポツリポツリ。
言ってしまえば、ただのだだっ広い原っぱなのだが、
ふたりはこの整備されすぎていない、何もないっぷりがむしろ、
とてもとても気に入っている。

基本的に、住んでいるそばに木があるのはうれしい。
特にうれしいのは広葉樹。なぜならそこに季節感があるから。
春の新緑の淡い緑も、夏のモウモウと葉っぱが繁った感じも、
秋の紅葉も、冬は冬で葉っぱが落ちていくのもいい。

外国では町中でふつうに、古くて大きな木がたくさんあるのに、
日本ではすぐに切って新しく植栽してしまうので、あまり残っていない。
なるべくならば、自然に生えた木が、そのままの感じであるほうが
幸せだし、豊かだと思っている。

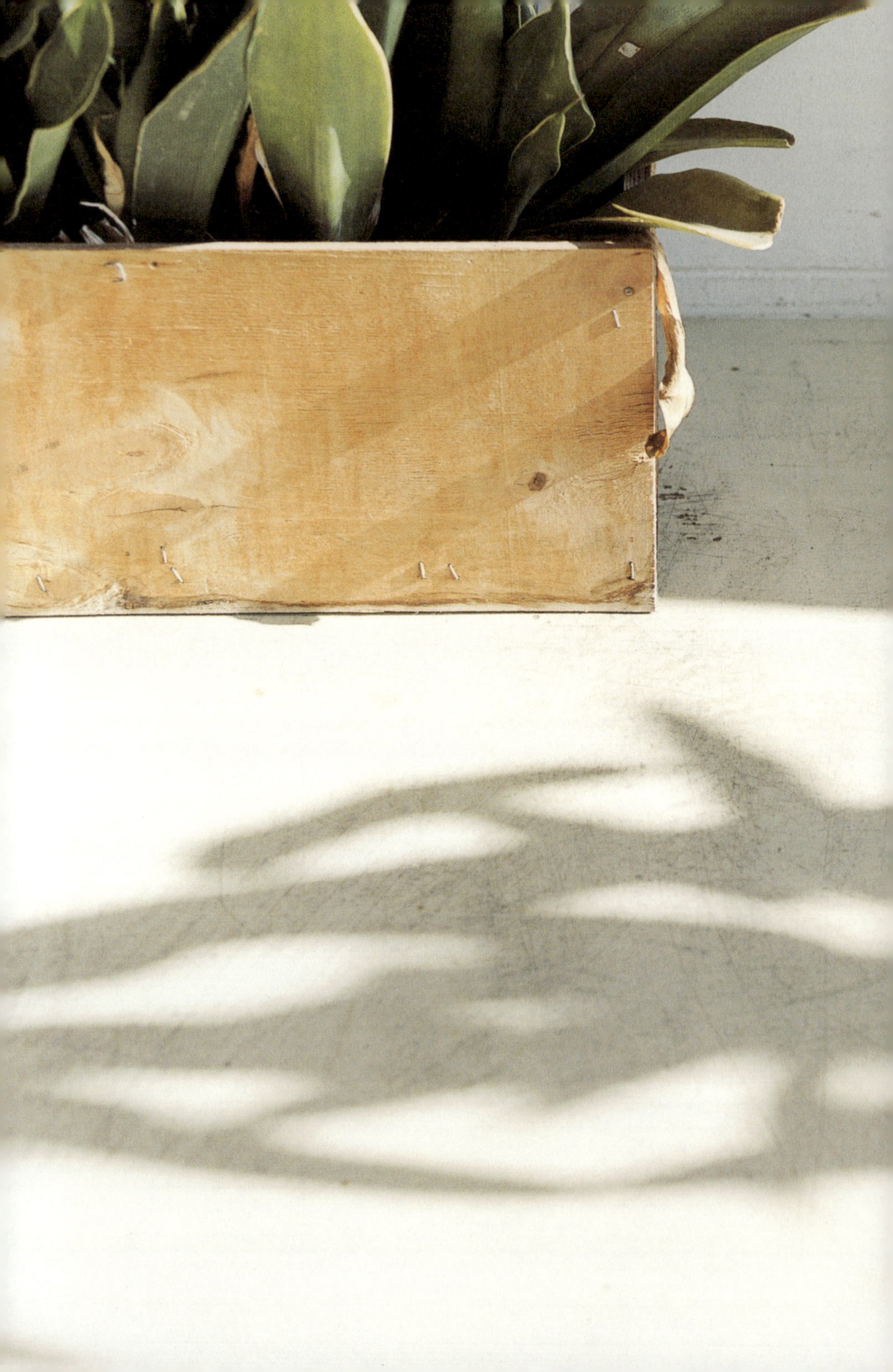

SILVER MAPLE
LEAVES: PALMATELY LOBED, TO 15CM LONG AND ACROSS,
WITH 5 LOBES, EACH ITSELF LOBED AND SHARPLY TOOTHED,
LIGHT GREEN AND SMOOTH ABOVE,
BLUE-WHITE AND THINLY HAIRY BENEATH,
USUALLY TURNING YELLOW IN AUTUMN.

LOOKING AT TREES
THE ALMOST INFINITE VARIATION OF TREES THROUGH THE SEASONS—
NOT ONLY IN SHAPE, SIZE, COLOR, AND TEXTURE,
BUT ALSO IN THE FINER DETAILS OF LEAVES, FLOWERS, FRUIT, AND BARK.

PIN OAK
LEAVES: ELLIPTIC TO OBOVATE, 7 TO 15CM LONG AND 5 TO 10CM ACROSS, DEEPLY LOBED, DEEPLY SINUATE ON BOTH SIDES, PALER WITH TUFTS OF WHITISH HAIRS IN THE VEIN AXILS BENEATH.

NORTHERN RED OAK

LOOKING AT TREES

WHITE OAK

OCCUR IN A GREAT VARIETY OF SHAPES. EACH ALSO HAS VARIATIONS WITHIN ITS BASIC SHAPE.

LOOKING AT TREES
THE ALMOST INFINITE VARIATION OF TREES THROUGH THE SEASONS—
NOT ONLY IN SHAPE, SIZE, COLOR, AND TEXTURE,
BUT ALSO IN THE FINER DETAILS OF LEAVES, FLOWERS, FRUIT, AND BARK.

SILVER MAPLE
1. LOBES NARROW TOWARDS LEAF BASE
2. BLUE-WHITE UNDERSIDE OF LEAF
3. LEAVES TURN YELLOW IN AUTUMN

LEAVES
CHLOROPHYLL IS THE PIGMENT THAT MAKES LEAVES GREEN.
IT ENABLES THE PLANT TO CONVERT WATER AND CARBON DIOXIDE INTO SUGARS AND OXYGEN,
USING THE ENERGY FROM SUNLIGHT (PHOTOSYNTHESIS).

WHAT IS A TREE?

POPLAR

SUGAR MAPLE
ALSO KNOWN AS ROCK MAPLE. THE SAP IS PROCESSED INTO MAPLE SYRUP.

SILVER MAPLE

LEAVES
CHLOROPHYLL IS THE PIGMENT THAT MAKES LEAVES GREEN. IT ENABLES THE PLANT TO CONVERT WATER AND CARBON DIOXIDE INTO SUGARS AND OXYGEN, USING THE ENERGY FROM SUNLIGHT. (PHOTOSYNTHESIS)

WHITE ASH

PHOTOSYNTHESIS
CHLOROPHYLL IS THE PIGMENT THAT MAKES LEAVES GREEN. IT ENABLES THE PLANT TO CONVERT WATER AND CARBON DIOXIDE INTO SUGARS AND OXYGEN, USING THE ENERGY FROM SUNLIGHT.

WHITE ASH : THE TREES PRODUCE A CLOSE-GRAINED DURABLE WOOD WHICH IS TRADITIONALLY USED FOR MAKING TOOL HANDLES.

SILVER MAPLE

26

店のカウンターの後ろの壁に、いろんな種類の押し葉のフレームを飾っている。
ときどきお客さんにゆずって欲しいと言われるけれど、そうもいかない。
これはとりわけ、思い入れのあるものなのだ。

ある日のこと。トリかヒリ、どっちかがふと言った。
家具をつくるために木を仕入れる時、すでに製材された材木の状態なので、
生えているところは、今まで一度も見たことがない。
トリかヒリ、言われたほうも、それがずっと気になっていた。
ならば話は早い、さっそく家具のもととなる木を見に行こう。
かくしてふたりはアメリカへ。
植物図鑑を小脇に抱え、森へと分け入る。たくさんある木の中から、
葉っぱのかたちと図鑑を見比べ、一本一本、種類を見分ける。
ドーンと力強い、男前でお父さん的なイメージのするオーク、
それに比べ女性的でさわやかな印象のメープルやホワイトアッシュ。
また同じメープルでも、シュガーメープルやシルバーメープルなど、
たくさんの種類があることを知った。
さらに、なんともおもしろいことに、生えている木のたたずまいは、
自分たちがその木でつくった家具のイメージと、まるで同じだった。
そしてふたりは、拾い集めたとりどりのカタチをした葉っぱを挟み
オークはオーク、メープルはメープル、アッシュはアッシュと、
それぞれおそろいの素材のフレームをつくることを思いついた。
プッと挟む、それだけで絵になるから、作業はすごく楽しかった。

初めの頃は緑色をしていた葉っぱも、フレームの中で色が変わり、
今は木と近い色になっている。

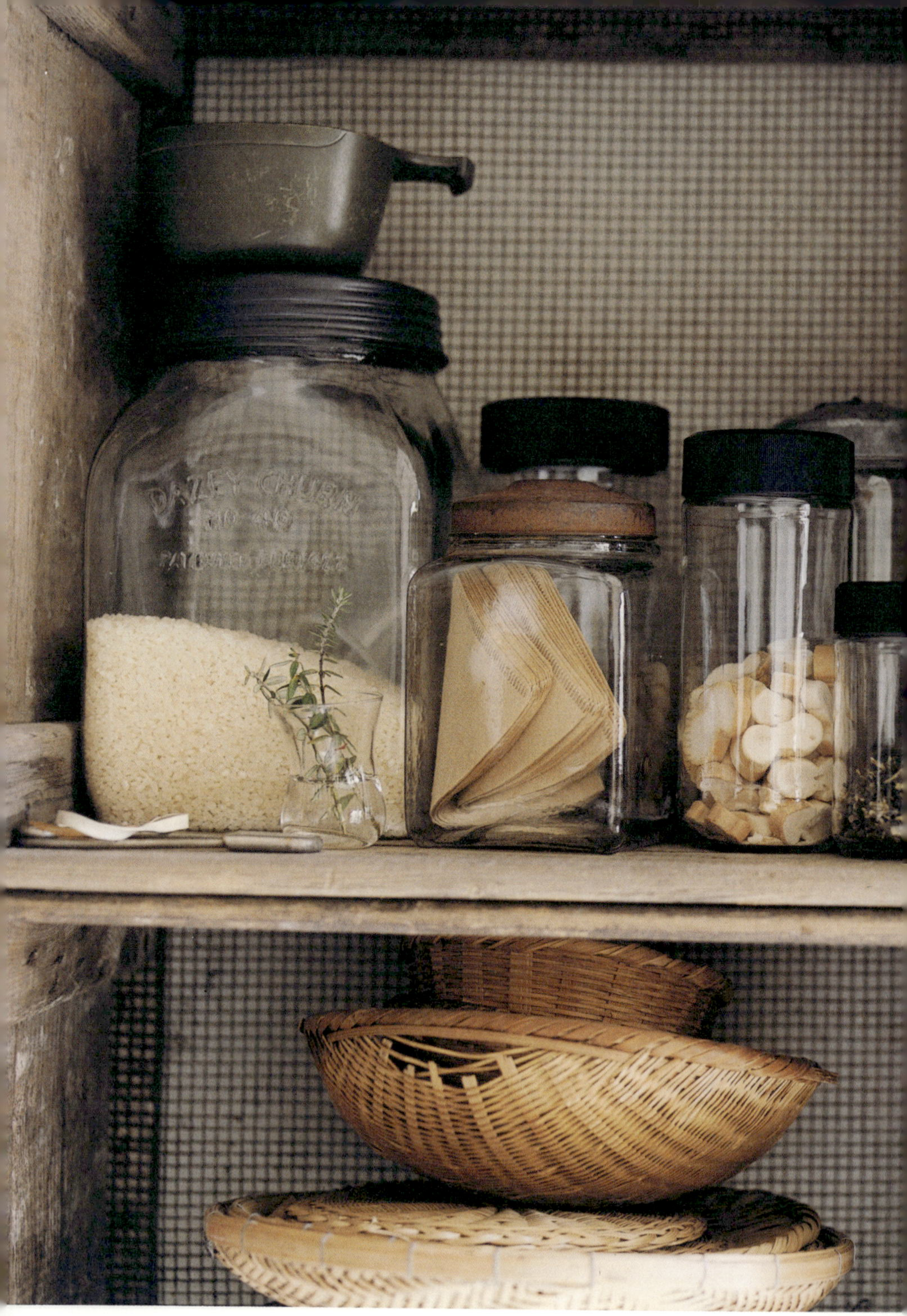

29

sugar flour tea

ふだん使っている鍋や容器をいっぺんに集めてみると、
時代の流れとはあべこべに、そのほとんどがアルミ素材だった。
しかもところどころがベコベコの。
入手先はいろいろで、タイの日用雑貨店でウハウハになりながら買ったのもあれば、
トリの実家で、おじいちゃん用のかしわごはんを炊いていたものもある。
理由はひとつ。ピカついているものが苦手だから。
ゆえに、キッチンをぐるり見回してみても、
木でしつらえたシンクから、ヒリの母親の嫁入り道具だったという米びつまで。
そこにあるものはみなどれも見事にピカついたところがなく、
にぶついたのんきな顔して、出番が来るのを待っている。

33

34

ふたりにはミーティングやら、そういう名のかしこまった時間はない。
なぜならべつにあらたまって決めなくたって、
いつでも、何かしら話をしているようなものだから。
朝は家のダイニングテーブルで、
トーストとりんごとゆで卵をむしゃむしゃ食べながら。
昼はお気に入りのカフェで、
サンドイッチやハヤシライスをパクつきながら。
夜はよく行くなじみの店まで車を走らせ、
もちやシュウマイやシイタケ肉詰めなどの串揚げを何本もほおばりながら。
やっぱりこれはおいしいなあ。分かってても、
パンチクリン（満腹のこと）になるまで食べてしまうなあ、なんて、
ひたすらとりとめもなく交わされる、たわいのない会話と、
たまたまそこにあった椅子の座り心地がよかったり、
通りにパッと見えた看板が気になったりした場合の、
何これ、めっちゃええやん。こんなんしたらええんちゃう？
というモードの会話が、いっしょくたになって繰り広げられている。
だから何かをつくるだんになっても、
ほらあれ、あの時見たあれ的な感じのもんで、
と言うとすぐに伝わるから、話がとっとと進む。
つまるところ、境目がない。
そもそも、仕事の話をしているという意識もあんまりない。
だけどふとした会話がいつ何に、
どんなすごいものが生まれるきっかけにつながるか、
分からないから予断は許されない。

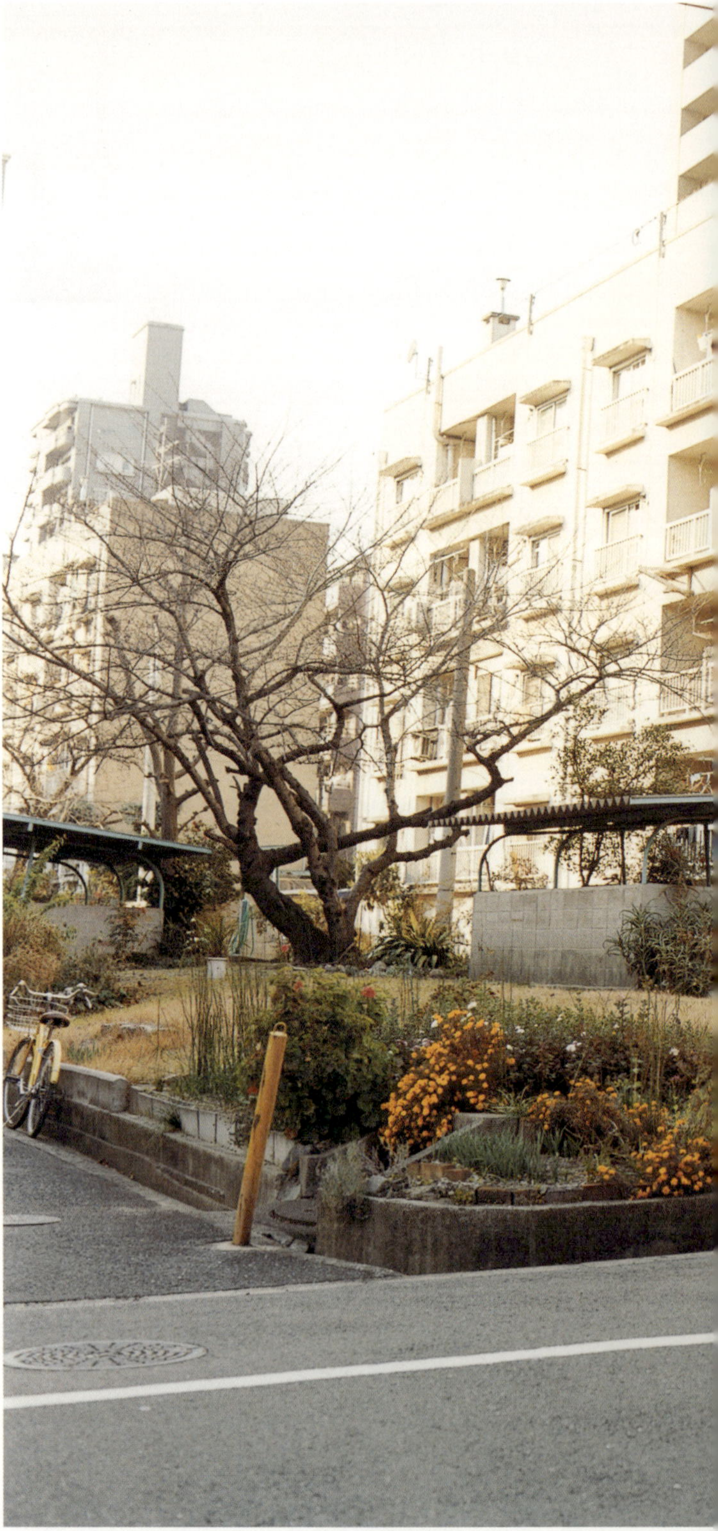

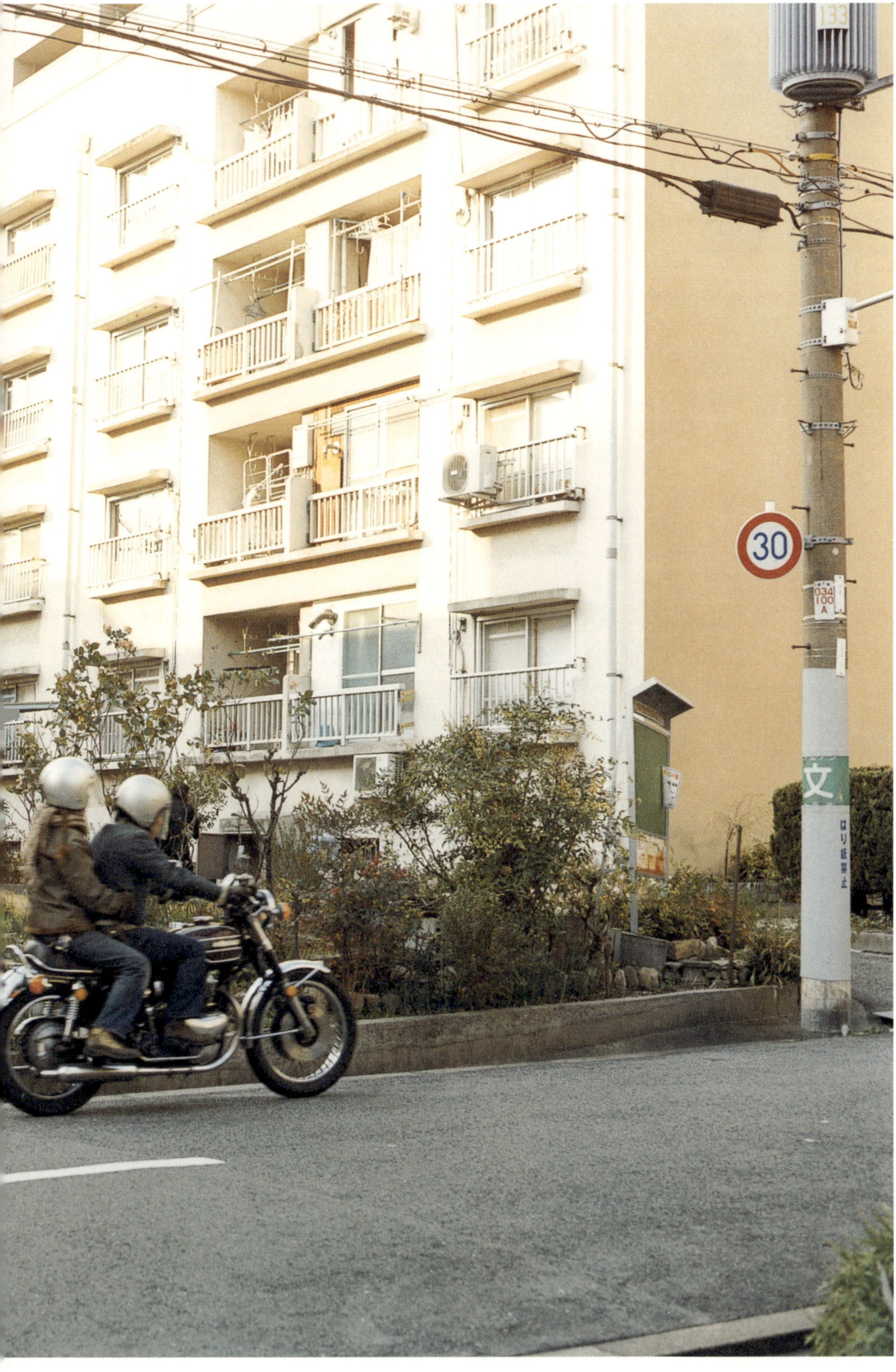
133
30
034
100
A
文
はり紙禁止

This is BUDDY.
TRUCK is completely under his control.

トリとヒリが出会ったばかりの頃。いろいろな話をしながら、
ふたりが"なんでもノート"と呼ぶ分厚いノートに、将来のことを書き留めていた頃。
「りそう的」と書かれたふたりの未来予想図の中に、すでにBUDDYはいた。

BUDDYはもちろん、家具をいっしょにつくるわけでもないし、
何かをいっしょに考えてくれるわけでもない。
常にぴったり、ふたりのそばになんとなく寄り添い、
どんなに忙しい時もかまうことなく、
やれ散歩に連れていけ、おいしいもんちょうだいとねだる。

ただ、人と同じ、いや人以上にその表情はすこぶる豊かで、
お客さんが来た時はワホンワホンと吠えながらはしゃぎ、
カメラを向けると、いつも澄ましたよそゆき顔で目線を送る。
はたまたトリが熱を出した時は、
さも神妙なまなざしで、おでこに前足を乗せる。

BUDDYがいるから、TRUCKの毎日はリズムよくたんたんと刻まれ、
TRUCKはTRUCKで、たぶん、あり続けることができる。
BUDDYはほんとうはなんでも知っていて、
いつも知らんぷりしながら、ふたりを守っている。

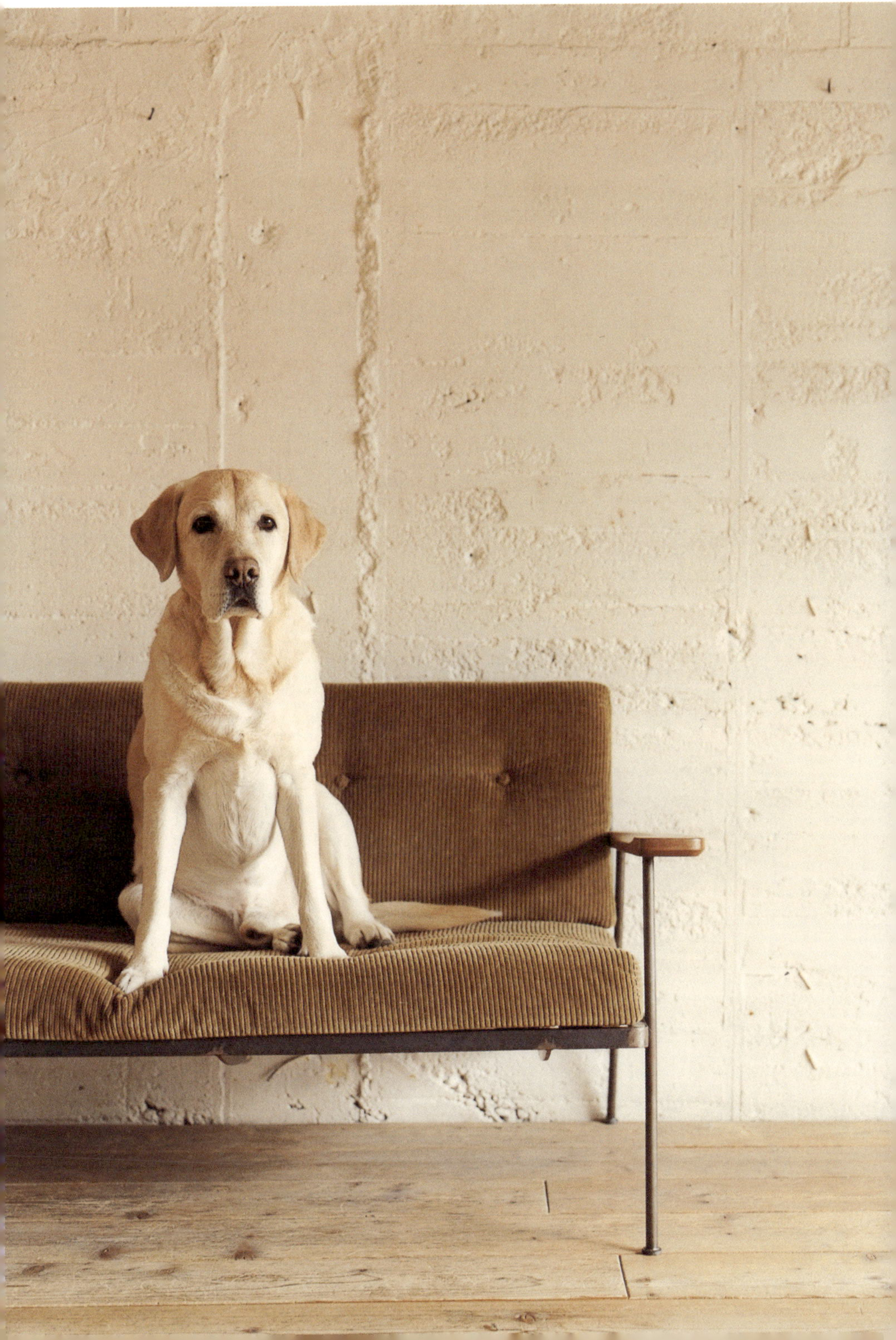

B465-00-935-5314
CASE, FIRST AID
COMPASS, LC-1
10 EACH
DLA100-86-P-EB08
A/B - 3/97

ATELIER
SHIROKUMA 03-10

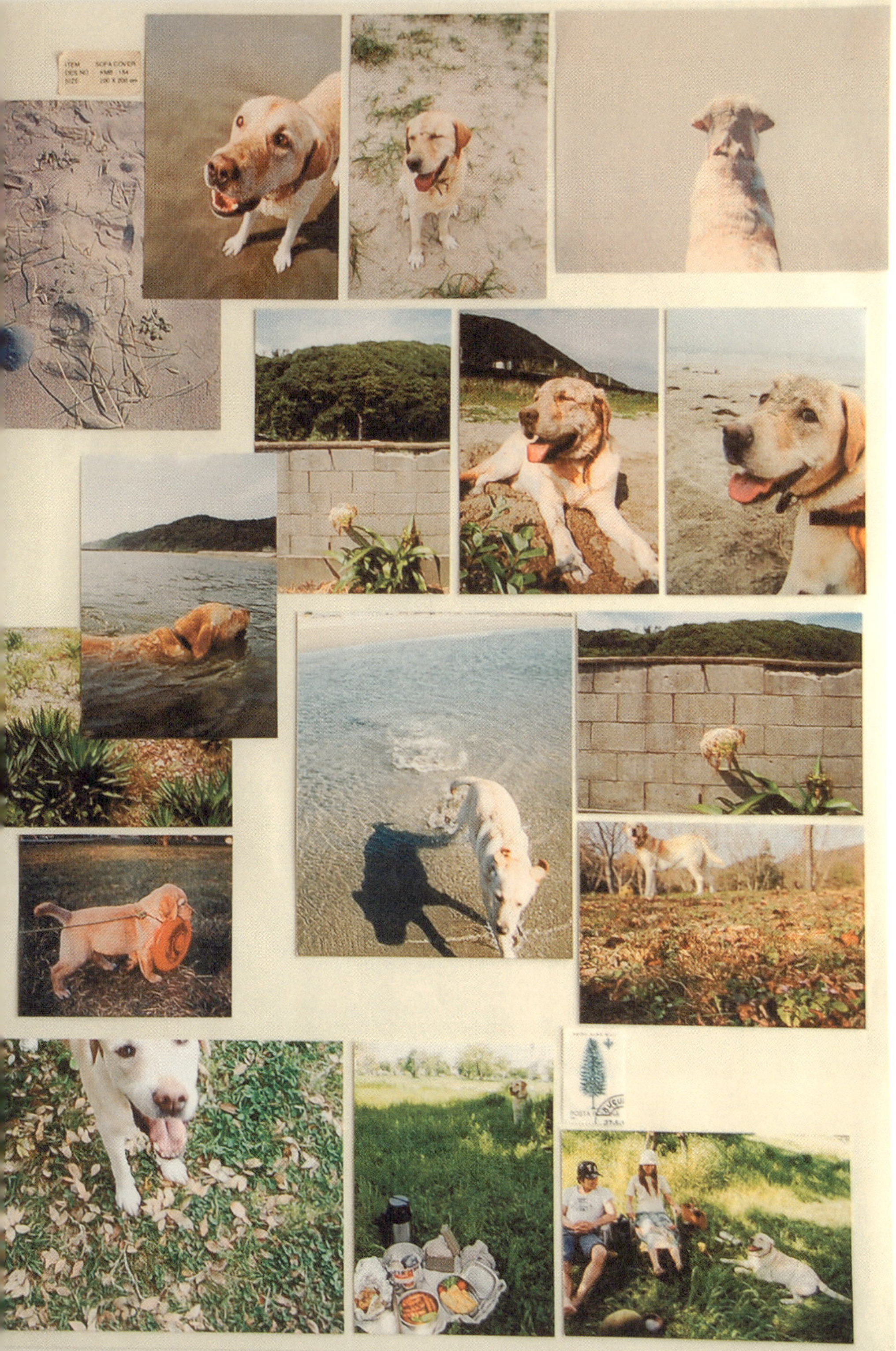
ITEM SOFA COVER

NYA →

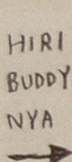

HIRI
BUDDY
NYA
→

KUMA   CD

SAVI   TIG

PUNCH
CHOP
SAN-CHAN
O-CHAN
① ② ③ ④

8465-00-935-6814
CASE, FIRST AID
COMPASS, LC-1
10 EACH
DLA100-86-F-EB0B
A/B - 3/97

NICO BABY →

← O-CHAN AND SAN-CHAN

BUDDY
AND
CATS

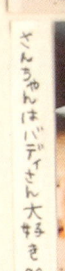

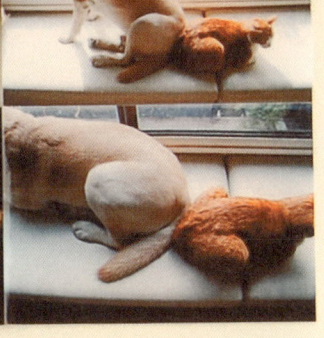

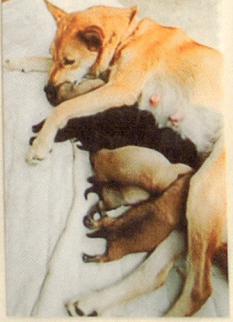

さんちゃんはバディさん大好き♡

DINGO ↑   JOHN ↑   JACK ↑

MARI
MENDOSA Y
ORIC
MAS

Good *thing* but nonnon walking.

45

2̶ **dogs** + 7̶ **cats**
4   8

BUDDY	NYA	NICO	CORO	SAVI
Sep. 1996	Feb. 1999	May 2002	Jul. 2002	Jul. 2002
male	male	female	male	female

BUDDY
TRUCKの看板息子。ちいさい頃から店にいるので接客上手な上に、取材慣れしていてカメラ目線がプロ級。TRUCKのカタログは自宅にて自分たちで撮影をおこなうので、BUDDYが登場するのも自然なこと。のちに増え続けるわんにゃんをすべてやさしく受け入れてくれた。

NYA
夜、店の前で鳴いていた。ごはんをあげたらすりすりしてきたのでかわいくて、つい家に連れて帰ってしまう。BUDDYを見ても怖がることなく、すんなり仲間入り。とても温厚でやさしい茶トラ猫。去勢手術済みだったので、誰かに飼われていたのかも。

NICO
高速道路の下でリヤカーのおじさんに、ひもでぐるぐる巻きにされて飼われていたのを発見。横で兄妹らしき猫が車にはねられていた。このままではかわいそうなので、おじさんにたのんで譲ってもらった。気が強く、甘えんぼな三毛猫。でも、だっこは嫌い。

CORO
水族館に行こうと車で出かけた時、高速道路の入口料金所付近で倒れているのを発見。体には砂が積もっていた。そのまますぐ病院へ直行。そしてTRUCK家の子に。猫のくせに箱座りをせず、両手をまっすぐ伸ばしてスリッパにつっこむのが好き。

SAVI
知り合いのガレージで、お母さん猫と兄妹3匹暮らしていたのに、近所のおばさんに虫取り網で捕まえられて、保健所に連れていかれるところを発見。譲ってもらう。その時は全身カビが生え、毛も抜けていて下痢でボロボロだったけれど、治療のかいあって、かわいく元気になった。

punch
→kentaro

chop→kentaro
SAN - CHAN
O - CHAN

2002年1月、知り合いから譲り受けた子猫のまるちゃんがウィルス性の病気で亡くなり、その後5月から8月の間に合計9匹の子猫をたて続けに保護した。まるちゃんが天国から苦しんでいる子猫たちを案内したのかもしれない。TRUCK家の子たち以外にも、知り合いに犬7匹（ポチ、ビスコ、ブラン、キラ、親方、シロ、タンカ）、猫5匹（もんちゃん、またちゃん、ぎんちゃん、白黒兄妹）を里子に出している。
ノラについて考える。ヒリのパソコンには、迷い犬保護や里親募集のチラシのひな形さえある。世の中から身勝手な人間がいなくなって、不幸なわんにゃんが一匹でも減ることを、ふたりは心から願っている。

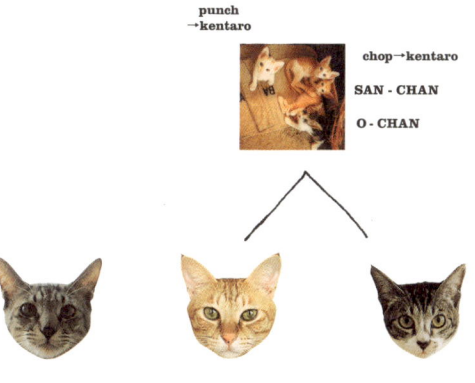

47

KUMA	SAN - CHAN	O - CHAN	DINGO	TIG
Jul. 2002	Aug. 2002	Aug. 2002	Oct. 2004	Sep. 2005
male	male	female	female	female

JOHN   JACK

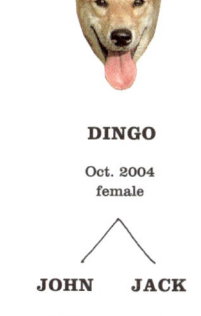

Nov. 2004
male

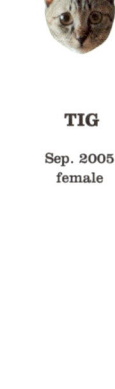

KUMA
ヒリの実家の父親が仕事先で発見。お母さん猫が子どもたちを運んでいる途中で1匹だけ落っこちて、そのまま次の日も迎えに来なかったらしい。生まれて間もなかったので、2時間ごとにミルクを哺乳ビンであげて育てる。かなりぼよーんとした性格。おふろにはまってもへいきだったりする。

**SAN-CHAN &
O-CHAN**
BUDDYの散歩の時、段ボールに目も見えずへその緒がついた、生まれたての5匹兄妹を発見。KUMAといっしょにミルクをあげて育てる。おかげで旅の予定はすべてキャンセル。兄妹のうち一番弱かった子は天国に。あとの2匹はケンタロウが里親になってくれた。ありがとう、よかったね、パンチとチョップ。

DINGO
BUDDYの散歩の時、公園の隅でおびえて歩けなくなっているのを発見。警察や保健所に届けを出したり、チラシを貼ったりしたが飼い主見つからず。しかも妊娠していた。かわいそうなのでうちで産ませてあげることに。そして無事6匹の子犬誕生‼ 4匹は里子に出し、息子2匹を残す。

JOHN & JACK
DINGOの息子たち。兄妹のなかで最もやんちゃな2匹。里親希望の声もたくさんあったけど、結局情が移って手放せず。JOHNは社交的でやさしくておふとんが大好き。JACKはやんちゃなくせに内弁慶。革を噛むのが大好きで、レザーソファやスリッパ、バッグなど被害続出。

TIG
車で移動していたところ、トンネルの入口で車にはねられそうになっているところを発見。あわててUターンして保護。怖がって、最初はなかなかなつかなかったけど、今ではすっかり肩乗り猫に。CORO兄ちゃんが大好き。

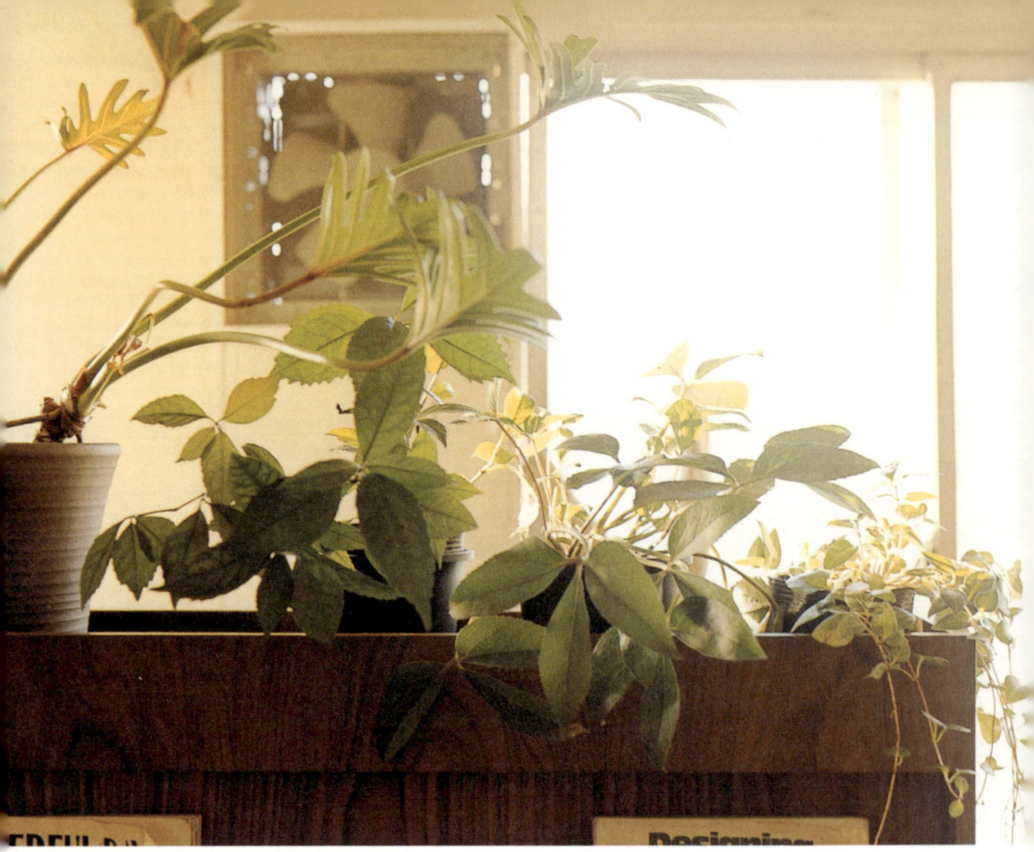

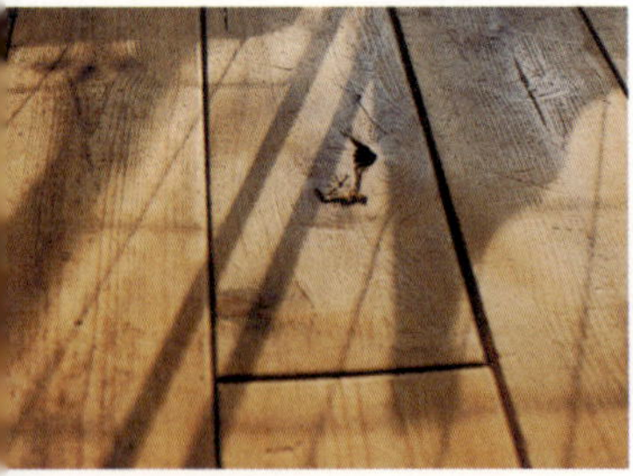

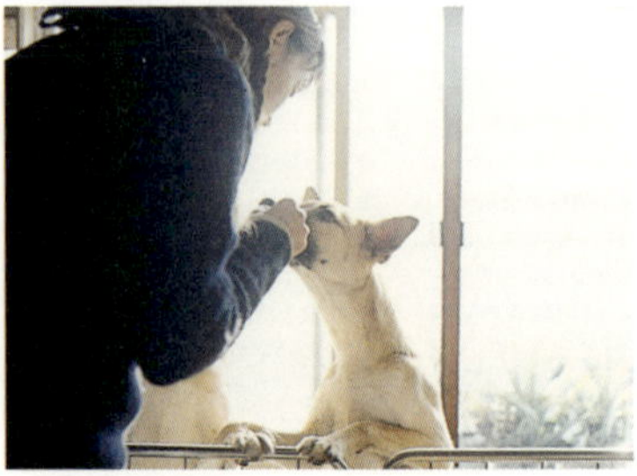

49

50

accomplice

culprit
Jack

家でわんにゃんを飼っている以上、これはどうしようもないことで、
爪を立ててチョイチョイしたり、引っ掻いたり、暴れたり、噛んだりするのは、
いわばわんにゃんにとっての仕事のようなもので、
それで家具が傷んでしまうのも、
やっぱり、どうしようもないことなのかもしれない。
とりわけTRUCK家は、犬4匹（内やんちゃ盛り3匹）、猫8匹という
まれに見る大所帯。ゆえにいくら気を付けていようとも、
常にその危険性はじゅうぶんにはらんでいる。

コーデュロイのFKソファと、ファロードレザーのソファ。
いずれもわんにゃんのしわざによってボロボロになり、
ついには見事に、穴が開いて破れてしまった。
がーん。涙は確かにチョチョ切れた。
チョチョ切れたが、わんにゃんをいくら叱っても、元に戻るわけではない。
そこでトリは、同じ生地を持ってきて、ちくちく縫ってパッチした。
そしてできあがったものをあらためて眺めてみると、
これはこれで、愛嬌があって悪くないのでは、という気がした。

それも、わんにゃんLOVEゆえのことなのかもしれないけれど。

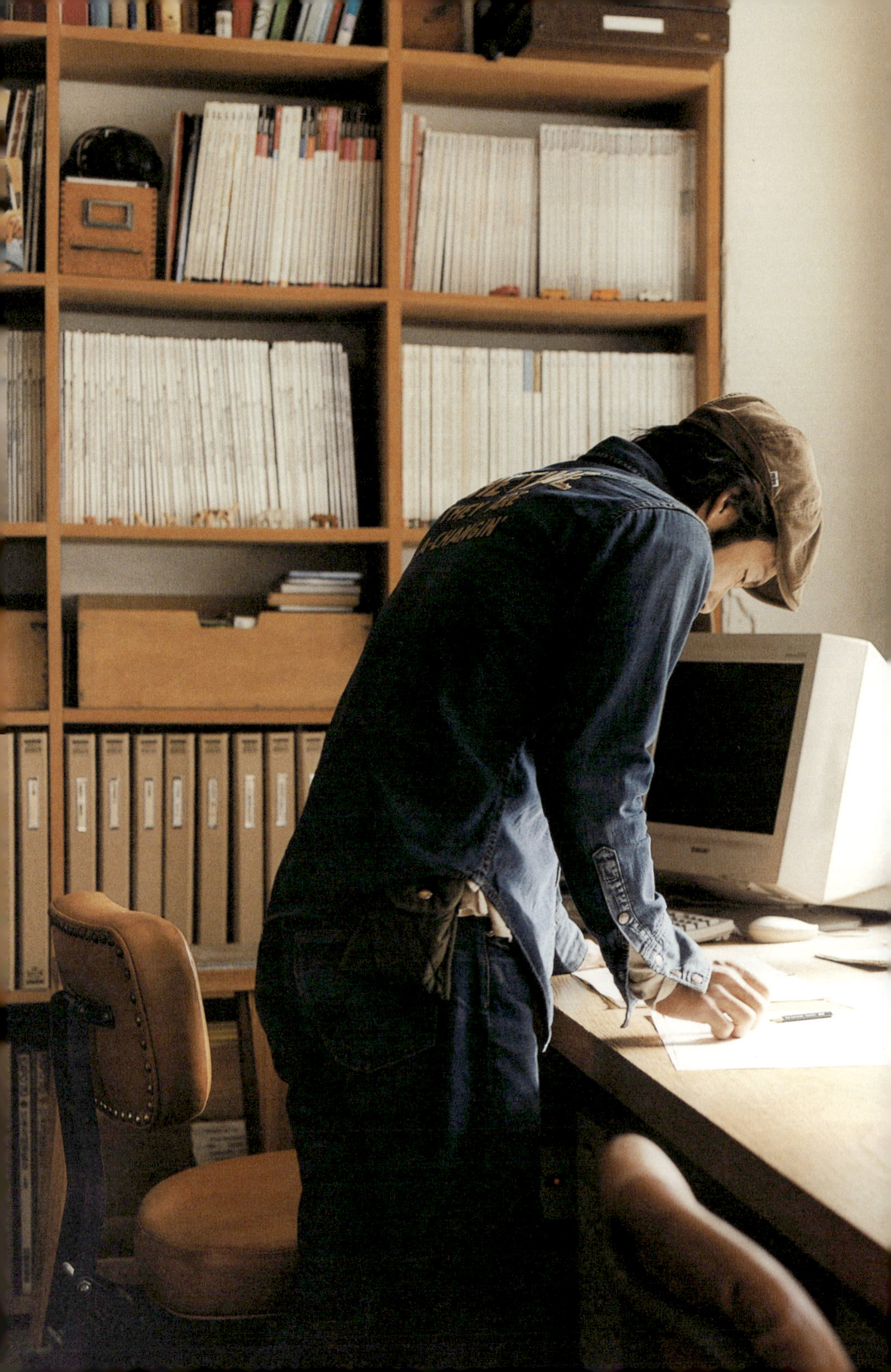

55

185

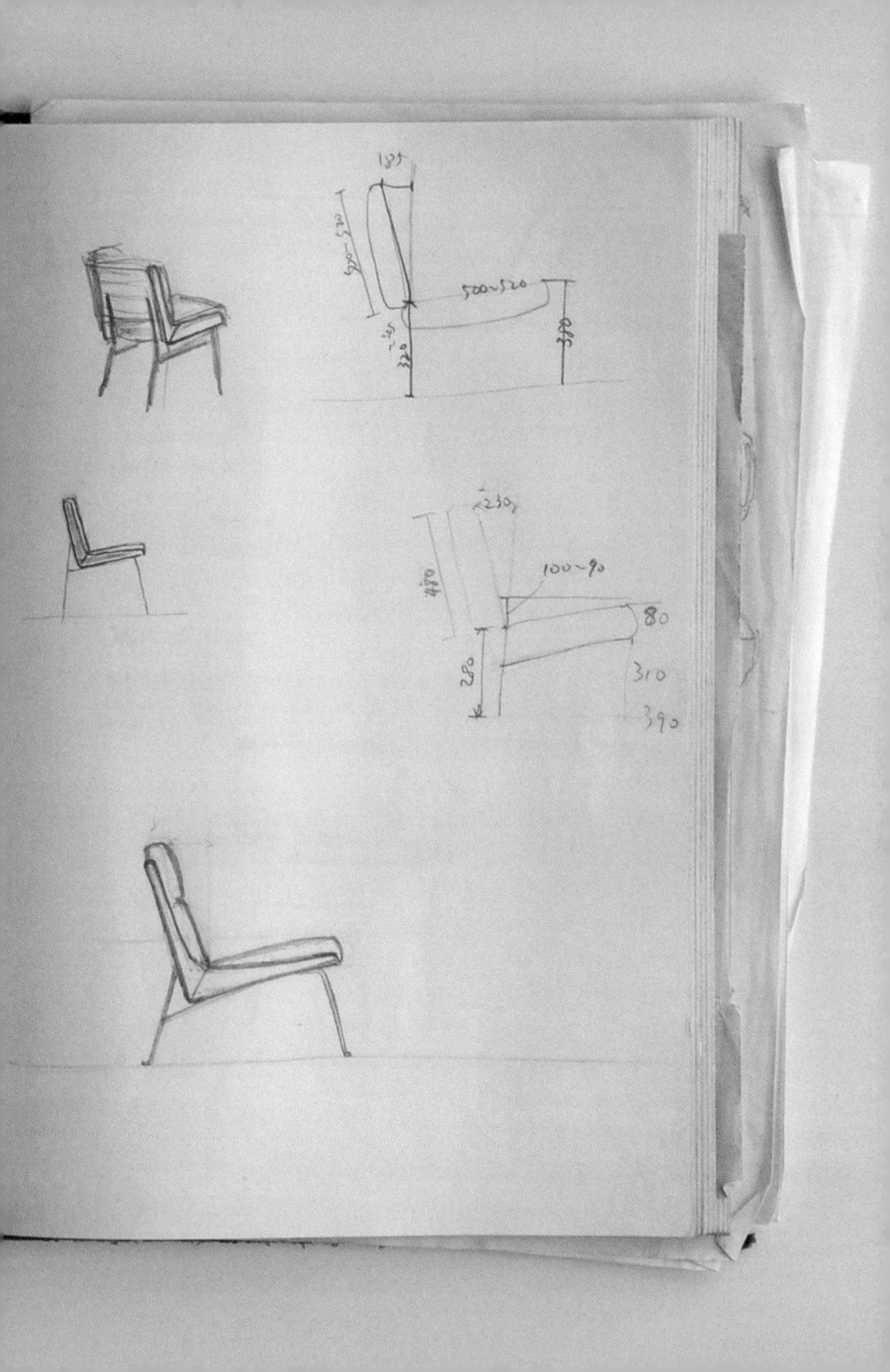

500~520

500~520

325
320

390

230

480

100~90

80

310

390

280

誰かがある時、トリとヒリにTRUCKのものづくりについて尋ねた。
お店のコンセプトは？　いゃぁ、ありません。
デザインテーマは？　そんなんもありません。
その人は、うーむ、と首をかしげながら帰っていった。
と聞くと、さも分かりにくいように感じるが、ある意味実に分かりやすい。
まず自分たちが日々生活をしていて、いいなと思うものがある。
ただそれは、いざ欲しいと思って探しても、
ありそうで、意外とないものだったりする。
さもありなん、たとえばふたりの欲しいものといえば、
アメリカの家でもともとそこにあったようなソファ、だとか、
偶然そのへんにほったらかされているような鉢、だとか。
コンセプトがうんぬんとか、デザインがうんたらとか、
そもそも、そのような土俵で考えているわけではない。
はっきりいって、思いつきとイメージ。
しかしそのイメージは、ふわふわしたなんとなく、なものではなく、
ふたりの頭の中ではハッキリクッキリとした輪郭を持っていて、
それをどうすればカタチにできるかを日々考えている、という感覚に近い。
"なんでもノート"にだいたいのスケッチをし、素材やパーツを探す。
とことん探してもなければ（ないことが多い）自分たちでつくる。その繰り返し。
何しろ微妙な作業なので、時間がものすごくかかる。
労力も、とてつもなくかかる。でも、ふたりはべつにかまわない。
なぜならそれもまた、毎日の生活だから。

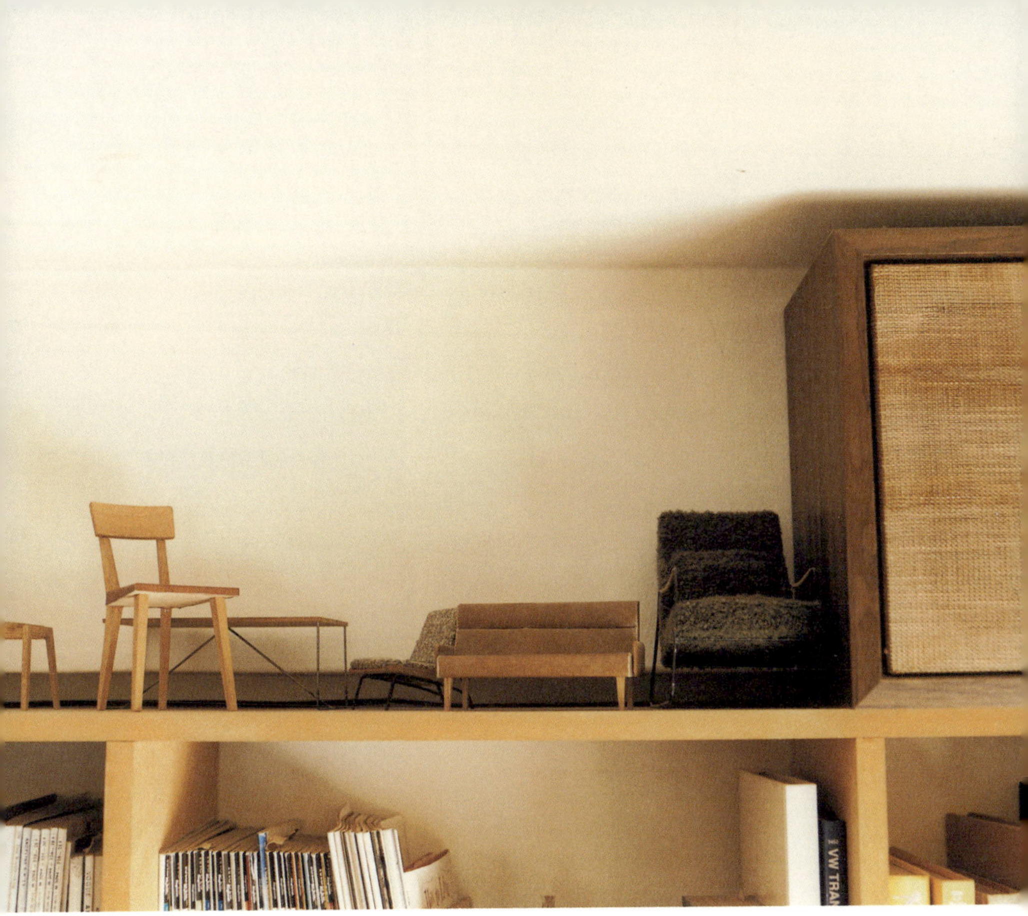

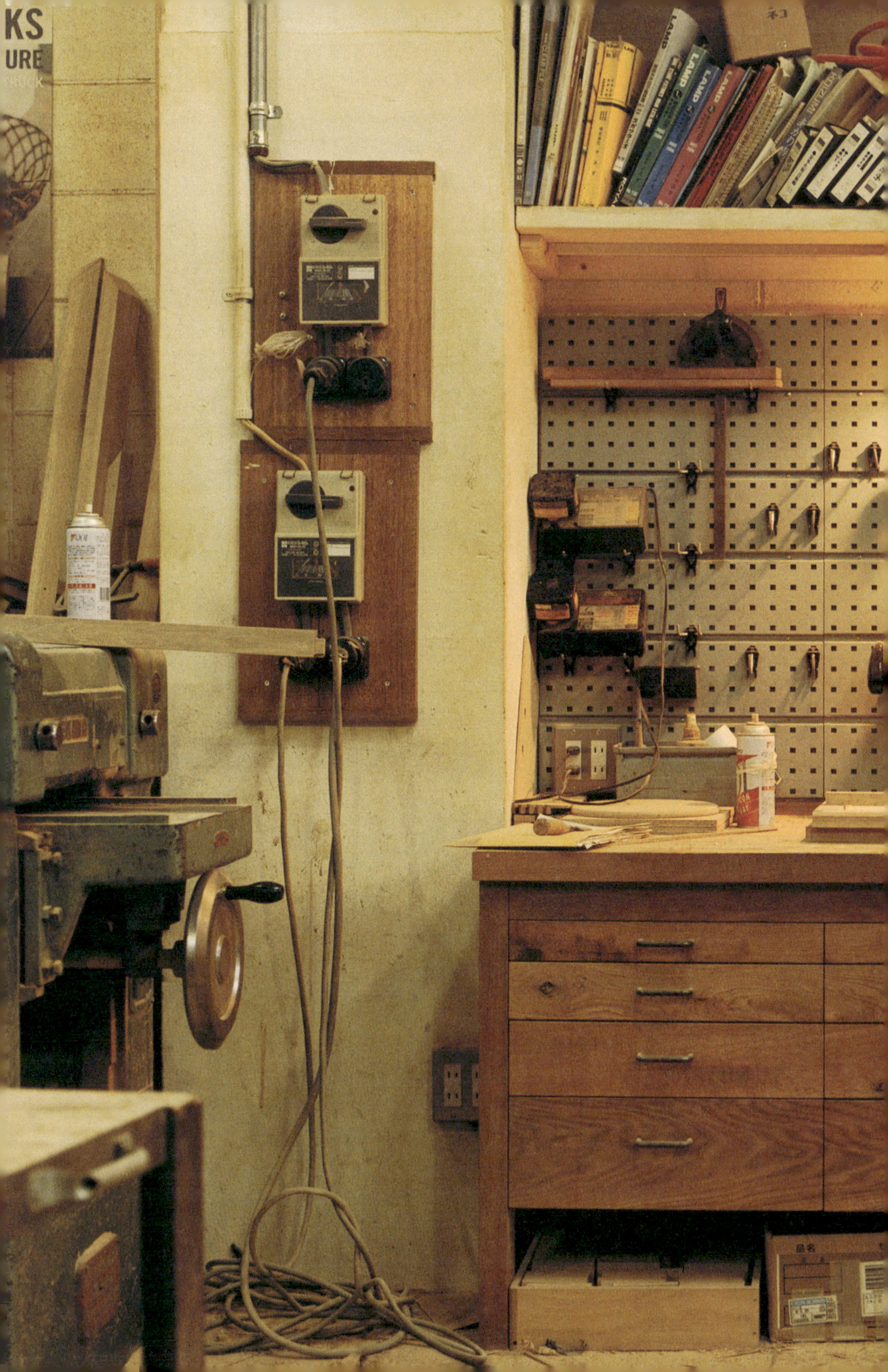
LAMP

61

/ALUMINUM	ADJUSTER/25	SUTTO TABLE
LE-A S·L	ADJUSTER/32	TK-SHELF
EEL NDLE-B	ADJUSTER/36	SUTTO DESK
EEL NDLE-C	FELT	AFROMOSIA CABINET
/STAINLESS	FELT	ASH CANVAS CABINET
RROR	BALANCE BOARD DOOR CUSHION	TABLE SET

DRAWING SOFA	TORCH CHAIR
CASTER SOFA	RANGE BED
CS SOFA	DESK WORK CHAIR
SUNNY STOOL	LOUNGE CHAIR
BOOMERANG CHAIR	LOUNGE CHAIR BR
TAMO PEDESTAL DRESSING	LOUNGE CHAIR N

TRUCK WORKS
57 SORTS OF FURNITURE
THIS IS THE ONE : NOTHING BUT TRUCK

TRUCK WO
57 SORTS OF FURNI
THIS IS THE ONE : NOTHING B

そもそも図面な世界で生きてないトリの、ときにはマンガのようなスケッチも、
TRUCKの工場のスタッフたちは働き者で、気ぃよくなんでもカタチにしてくれる。
中にはこの道何十年の職人さんもいるのに、みんな快く引き受けてくれるのがありがたい。

UUMA SOFA

67

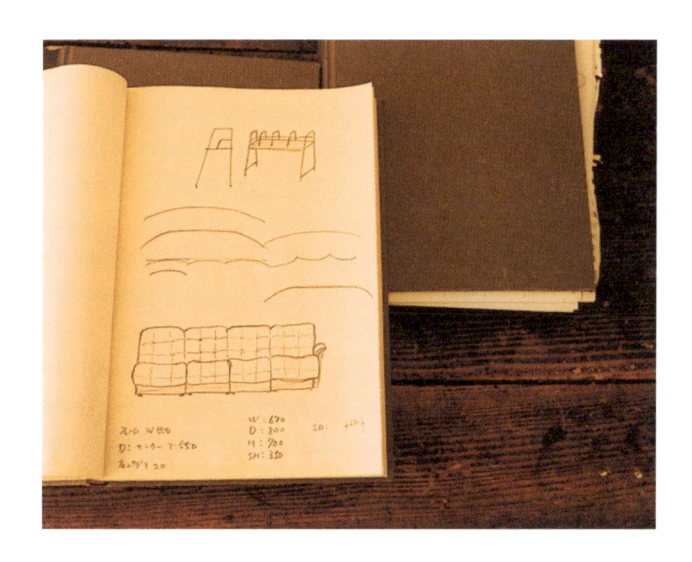

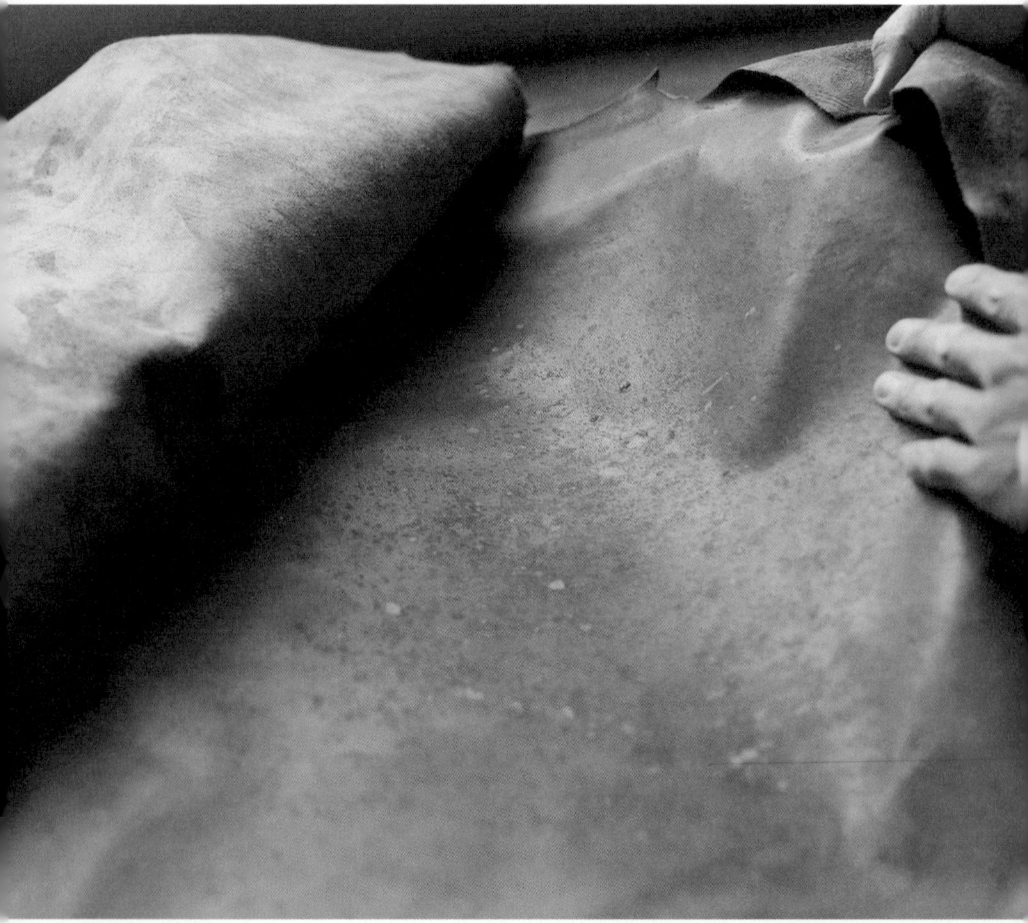

ウーマソファは、ひょっとしたら……とみんなが思う通り、馬の革を使っている。
馬は、革がもともと柔らかいので、傷がとても付きやすく、
調教馬であればなおのこと、ムチを受けた傷跡がおびただしく残っている。
だから、ふつうはなめしたあとで加工をして目立たなくしたり、
靴の内側など、見えないところで使ったりしている。
しかしトリには、その傷が逆にいいことに思えた。

かねてからトリは、あらかじめ傷やシミのついた革を探していた。
革のあの、使い込んでいくたびごとに深くなっていく風合いを、
なんとか最初から出せないものだろうかと、いつも考えあぐねていた。
かといって、わざと傷を付けたり、中古ふうにみせかけるようなことはしたくない。
それは、トリとヒリの中で、いちばんの禁じ手と言えることだった。

そんな時、革屋さんが馬の革を持って来た。柔らかくて、
最初からすでに使い込まれたような革。
見た瞬間すぐさま、いい感じ、と思ったトリは、
同時にヒリが、ずっと昔からつくりたいと言っていて、
"なんでもノート"に書いていた、あるソファのことを思い出していた。
応接間と呼ばれる部屋によくあった、1個でも存在感はあるけれど、
つなげていけばどこまでも、コーナーにL字型にしたらさらにかっこよくなるもの。
ただ張り地をどうしようか、というだんで長い間保留になっていたが、
この革なら合うかもしれない。いろんなことがパッとここで一致して、
一気にトントンと、日の目を見ることとあいなった。

H R SOFA

ヒリは、まだトリといっしょになる前、
マンションでひとり暮らしをしていた頃のことを考えていた。
そういえば、あの時の自分が欲しいと思えるようなソファがTRUCKにはないと。
サイズ的にも、はたまた金額的にも。
いくらTRUCKのことを好きと思ってもらっていても、
買えるソファがない人がいる、というのはなんだかかなしいこと。
そこでヒリはさっそく、"なんでもノート"のまっさらなページを前に、構想を練り始めた。
まず古いものが好きで、
部屋に古い家具や雑貨が並んでいる中にポンと置かれてもなじむ、
そんな人に好きと思ってもらえる、質感やかっこよさのあるものにしたい。
もちろん、これは常に追い求めているところではあったけれど、
今回はさらに意識をしつつ、でもサイズをできるだけコンパクトにすることを心がけた。
また、ここで革を使えばかっこいいけれど、あえてそうはせず、
ファブリックを使って、値段をおさえることにした。
ヒリが選んだ張り地は、コーデュロイとチェック柄。
このチェック柄の生地は、生地屋が持っていたものを色だけ変え別注でつくったもので、
チェックだけれども甘すぎず、
男の子が、自分の基地に置きたくなるような雰囲気を持たせた。
そうして苦心してようやく生まれたソファだけに、ヒリはいとおしくてたまらず、
照れながらも「HRソファ」と、初めて自分の名前を付けたのだった。

72

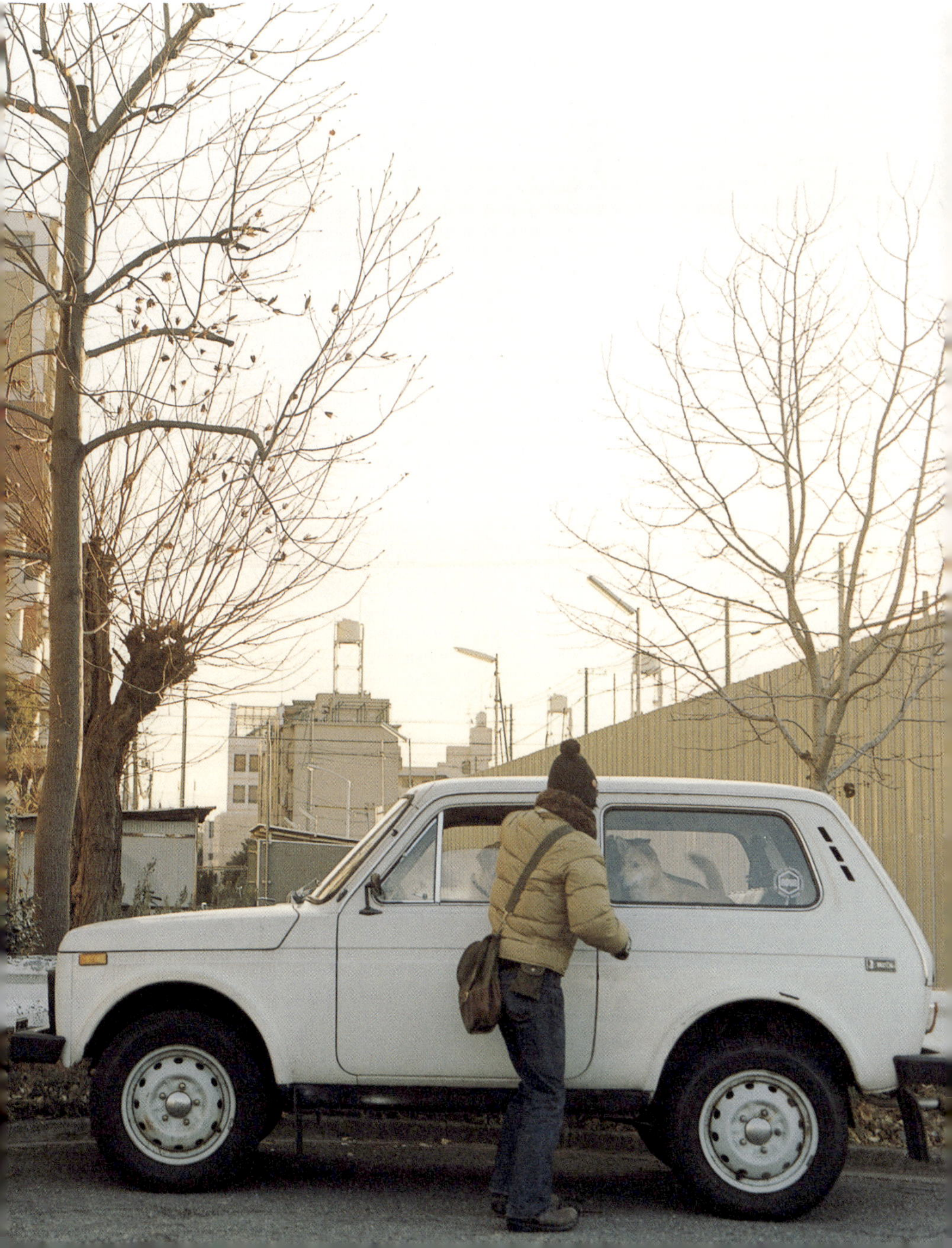

74

乗り物は、トリにとって移動手段であるとともに、
大きなおもちゃでもあった。
だから、まずは快適性やら加速度感に、憧れを抱いてはみるものの、
なんだかんだ言ってつまるところ、パーツ的にかっこいいかどうか、
そこが選ぶ基準の、上位ランクを占めるのだった。
その点、ラーダニーバはトリにとって、まったくイヤな部分がない車だった。
カタチしかり、ボディの質感しかり、内装の張り地しかり。
それに比べて今の車は、もうすべてが近代的すぎて自分には似合わない。
どうしてこうなってしまったのだろう、とトリはいつもふしぎに思う。

そういうわけで乗り物を愛しているトリではあったが、されど道具は道具。
大事に大事に、きれいにきれいにと、気を遣いながら乗るのは苦手だった。
そのへんにガツーンといっても、気にならない感じのラフさがちょうどいい。
たとえば、先日も車で街を走っていると、ちょっと気になる空き物件があって、
塀の中をのぞいてみたいけれど高すぎる。脚立もない。
そんな時、車の上にへいきで乗っかれる、それくらいでないといけない。

ただ唯一にして最大のネックは、この車では遠出ができないこと。
やっぱりちゃんと走る車が欲しい。
そうしてスタートした車選びのはずだったが、なぜか決めたのは、ディフェンダーという車。
見た目はかっこよかった。大きさも頼もしかった。シートもファローレザーに張り替えた。
でも、またもや走らなかった。乗ると戦車のようなゴゴゴゴという音がした。
これには、さすがにヒリも言った。なんでそんなん分かれへんねん、と。
トリは自分でもつくづく思った。どうしてふつうに道を行き交う車を選べないのか、と。
でも、仕方がなかった。なぜなら持っていてもうれしくないから。それに尽きる。

76

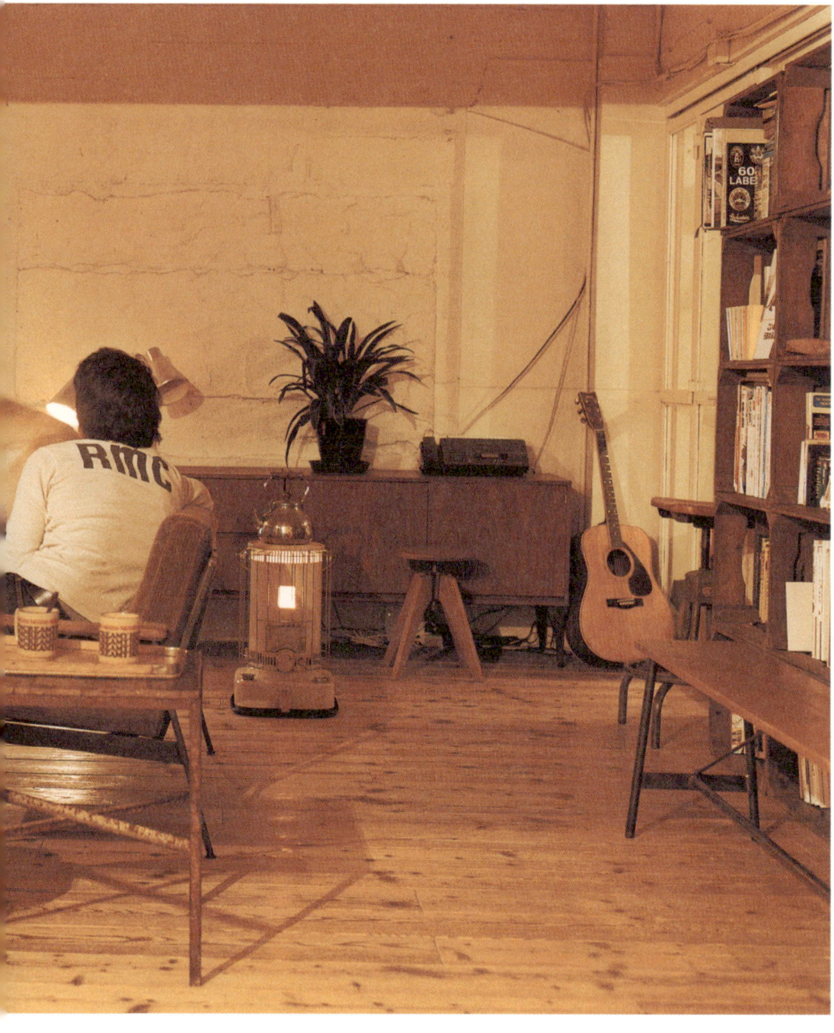
RMC

hiri-cole

ヒリはちいさい頃から、へんてこりんな蒐集癖(しゅうしゅうへき)があった。
石だったり、流木だったり、あるいは古びたレンガのかけらだったり。
かといって、かわいいカタチの石をさーがそ、みたいな乙女チックなことでもなく、
その基準は、当時から人と少し異なっていてどこまでもシブかった。
ヒリの母親からは、霊が憑いているから戻してきなさいと言われたりしたが、
集めたものは捨てずにずっと持っていた。
するといつの間にか、恐ろしく膨大なコレクションになっていた。

特に意識はしていなかったが、それらは空間に置くといい感じになった。
TRUCKのカタログの撮影をしていた時も、
間を埋めるのに、思いがけず"ヒリコレ"が大活躍した。

今はさらにバリエーションが増え、
クマものやがま口、箱といった雑貨的なものもヒリコレに加わった。
でも相変わらず、猫のヒゲなど、へんてこりん系も同時に集めては、もちろんいた。

これらは、数ある中からオーディションに勝ち残った、
実力派ぞろいのヒリコレである。

BUSAIKU-GUMA +

SEITOHA-GUMA

GAMA-GUCHI

HACO-MONO

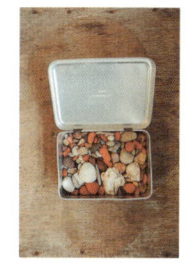

84

まぁちょっとした、日常の中でみなが頓着なく使う、ほんとうにちょっとした日用品。
延長コードだとか、風呂の掃除用に履くゴム靴だとか、
洗濯物を干すフックだとかの、おもにゴム製、プラスチック製のもの。
ヒリとトリは、こうしたたぐいのものが、どうしても選べなくて困っている。
その原因はいろいろあるが、一番は色遣い。
ふたりにとって、パステルカラーがもっとも苦手とするところで、
サーモンピンクやエメラルドグリーンなどは、恐ろしくて考えられないのだが、
日本では、ものの見事にそういった色ばかりが、堂々と鎮座ましましている。
たまにグレーがあったりするが、少し青みがかかっていて、
惜しいけれど微妙に違う。

それに対して、アメリカのホームセンターなどに行くと、
ふつうに茶色のものとかが売られている。
グレーもちょっとベージュがかったグレーで、いい感じだったりする。

べつだん、舶来ものだから好きというわけではない。
しかし実際には、海外でないと選べないものがたくさんあるのだ。

そんなわけもあって、ふたりはたびたび旅をする。
日用品をごっそり買うための、大きなバッグをたずさえて。

ufthansa sells used aircraft seats!
ail: juergen.rumstig@dlh.de, Phone: +49 (0) 69/69 69 34 85

88

Herrn
Slobodan Djordjevic
3 DR. PUMMER
5
PETER GROF
7 SCHEU
8 SCHWAPZKOPF
9 VAKON
10 EITL

GAS

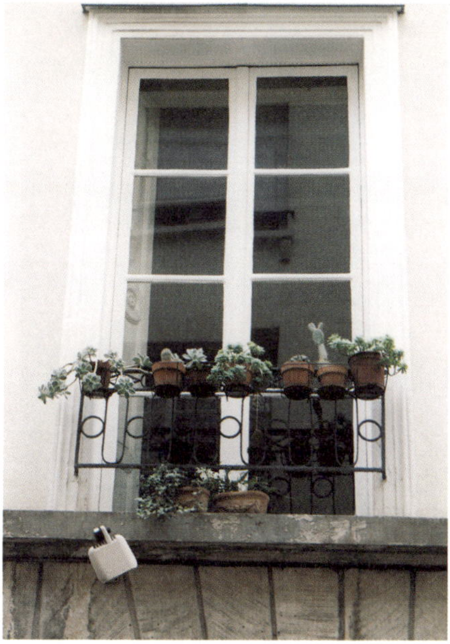

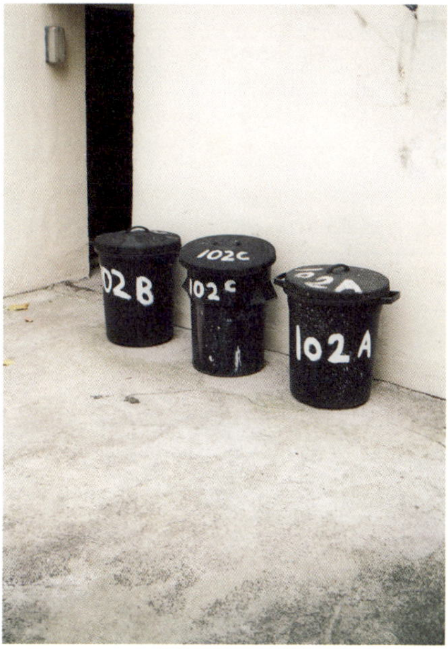
02B
102C
102A

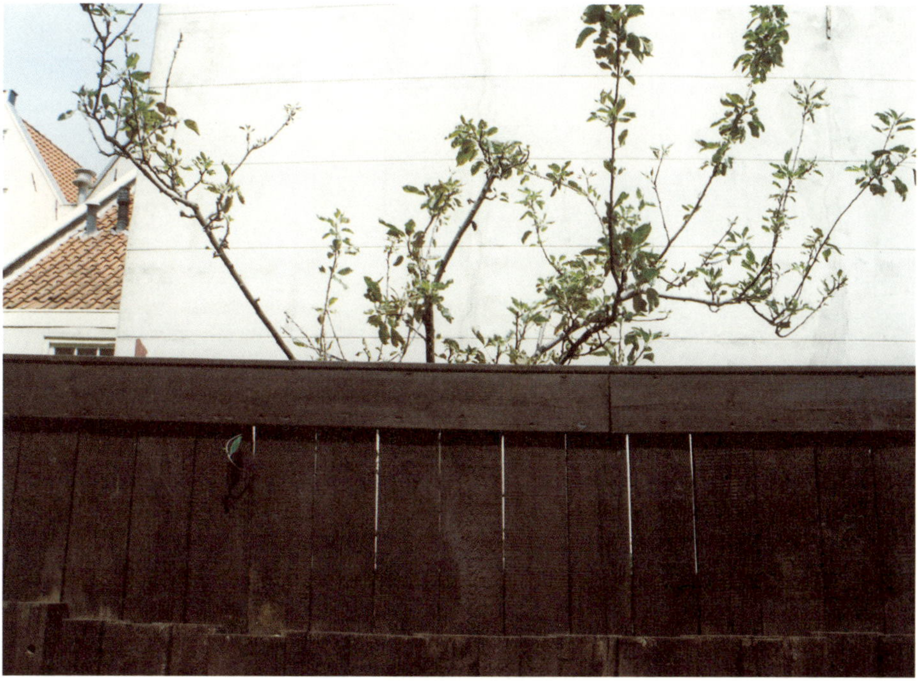

90

アメリカ、オーストラリア、フランス、イタリア、ドイツ、ハワイ、タイ。旅の行き先はたとえどんなところであったとしても、ふたりの行動や視点はちっとも変わらない。その辺の道ばたに生えている雑草や、ふと突然生えているおおきな木。はたまた赤茶色に錆びついた柵や看板など。ふつうの人は見過ごすであろう、ほんのささいな日常のヒトコマも、ふたりのセンスの肥やしになって、家具づくり、店づくりにすべからく生かされている。

am 8:30 jan.6

ある日ベランダに、スズメのためのエサ場をつくった。
木でつくった台に水とお米を置いて、しばらくほったらかしにしていると、
ちゅん、ちゅんと鳴きながら、喜びいさんでスズメたちが飛んできた。
めったに田んぼのないこのあたりでは、極上のごちそうなのだろう、
日を増すごとに1羽、2羽、3羽……多い時には20羽くらいのスズメが
鈴なりになってエサをえっさほいさとついばんでいた。

しばらくして、そんなスズメ天国を、おびやかす存在が出て来た。
山本さん夫妻だ。
山本さんとは、このあたりにいる対の山鳩のことで、
いつの間にか、山鳩さん→山本さんという呼び名になっていた。
ときどきベランダにやって来ては、
機嫌よく食事中のスズメたちを、夫婦で力を合わせて強引に蹴散らし、
そのエサを横取りしてしまう。

そんなようすが気になってしょうがないのは、TRUCK家のニャンコたち。
ベランダが見えるキッチンの窓に一同集合し、
興味しんしんなようすで、一部始終をじっと見つめている。

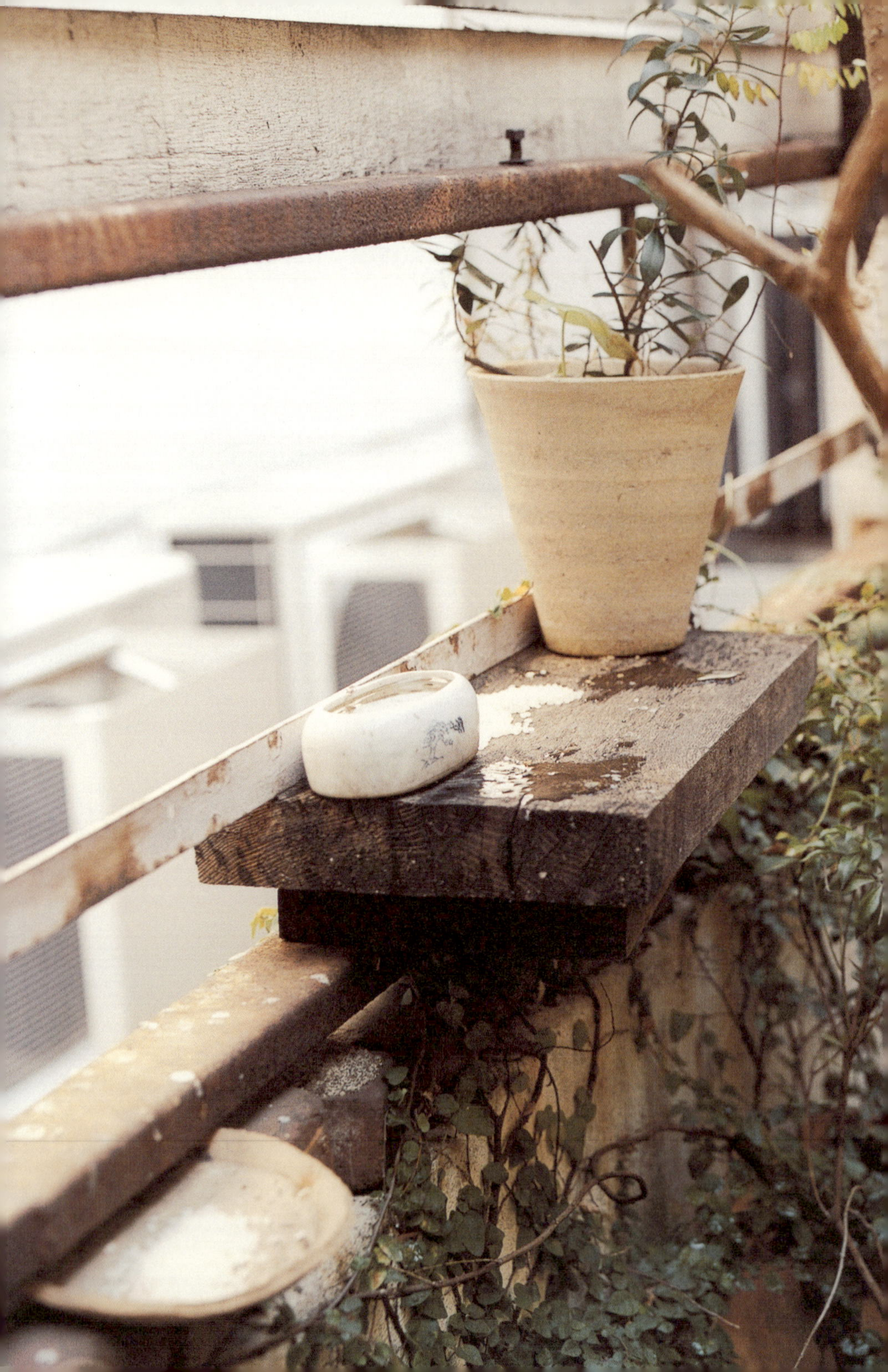

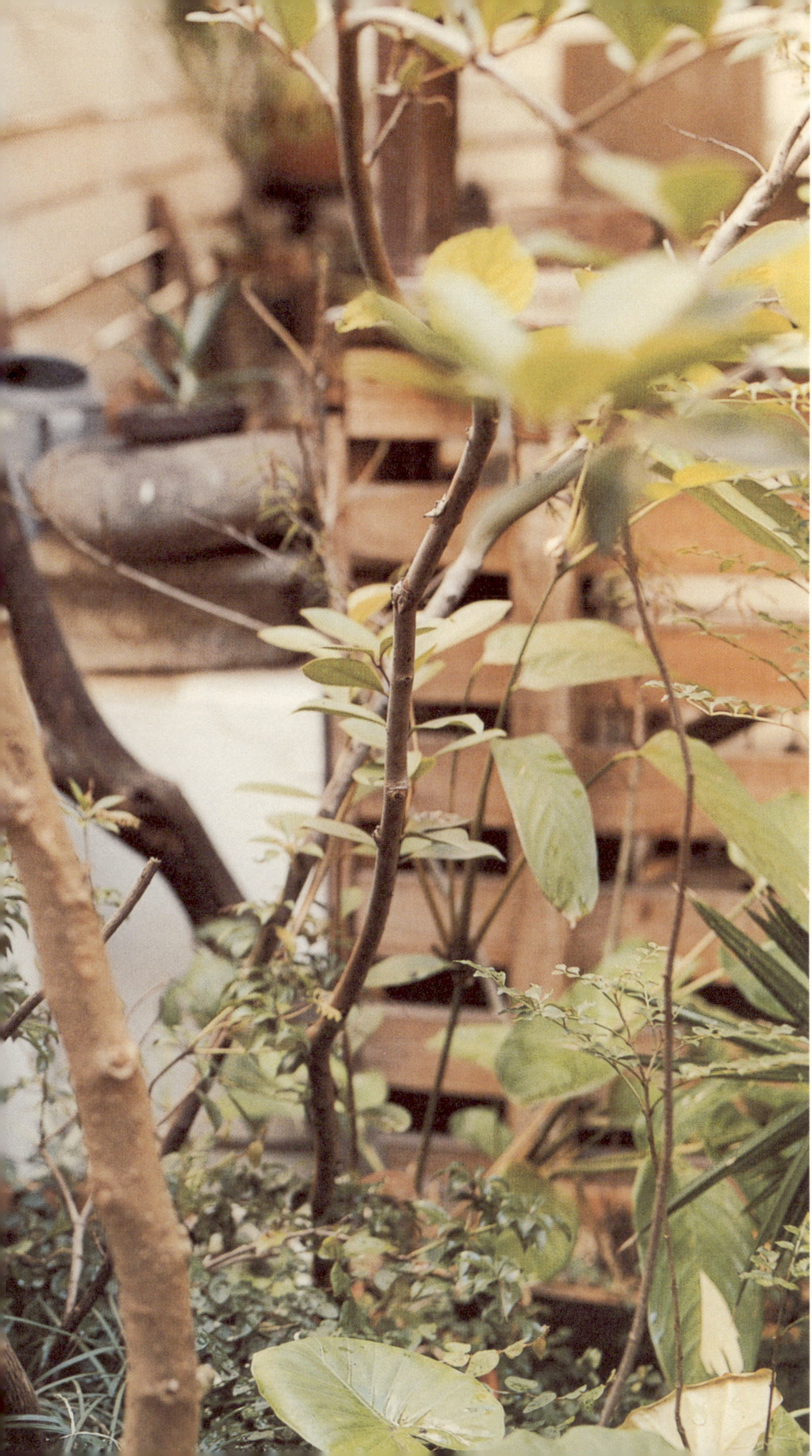

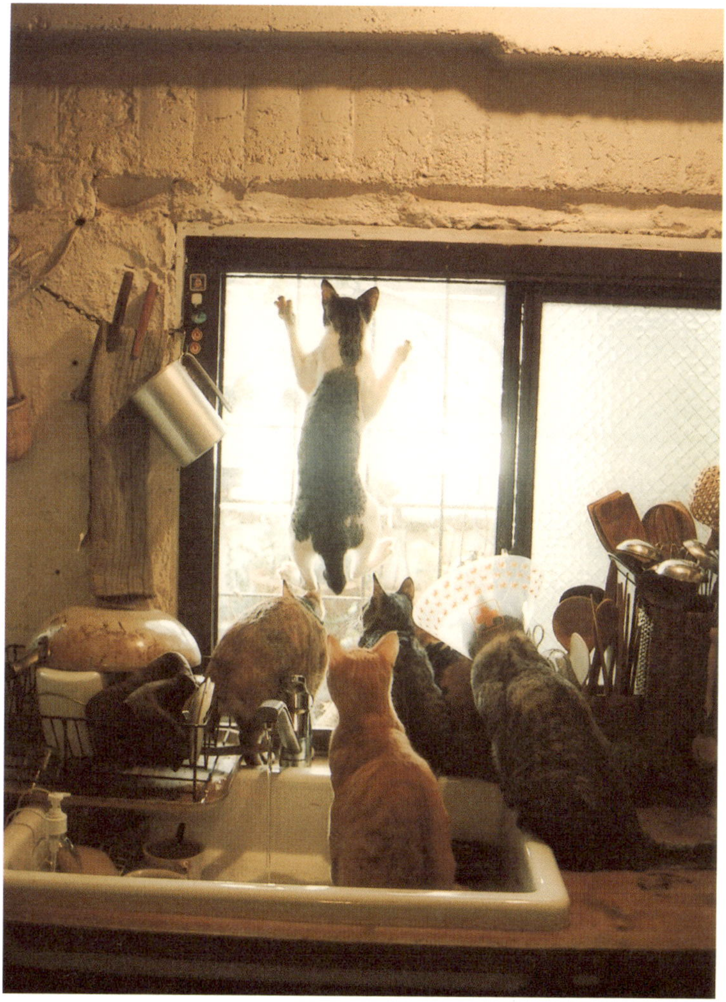

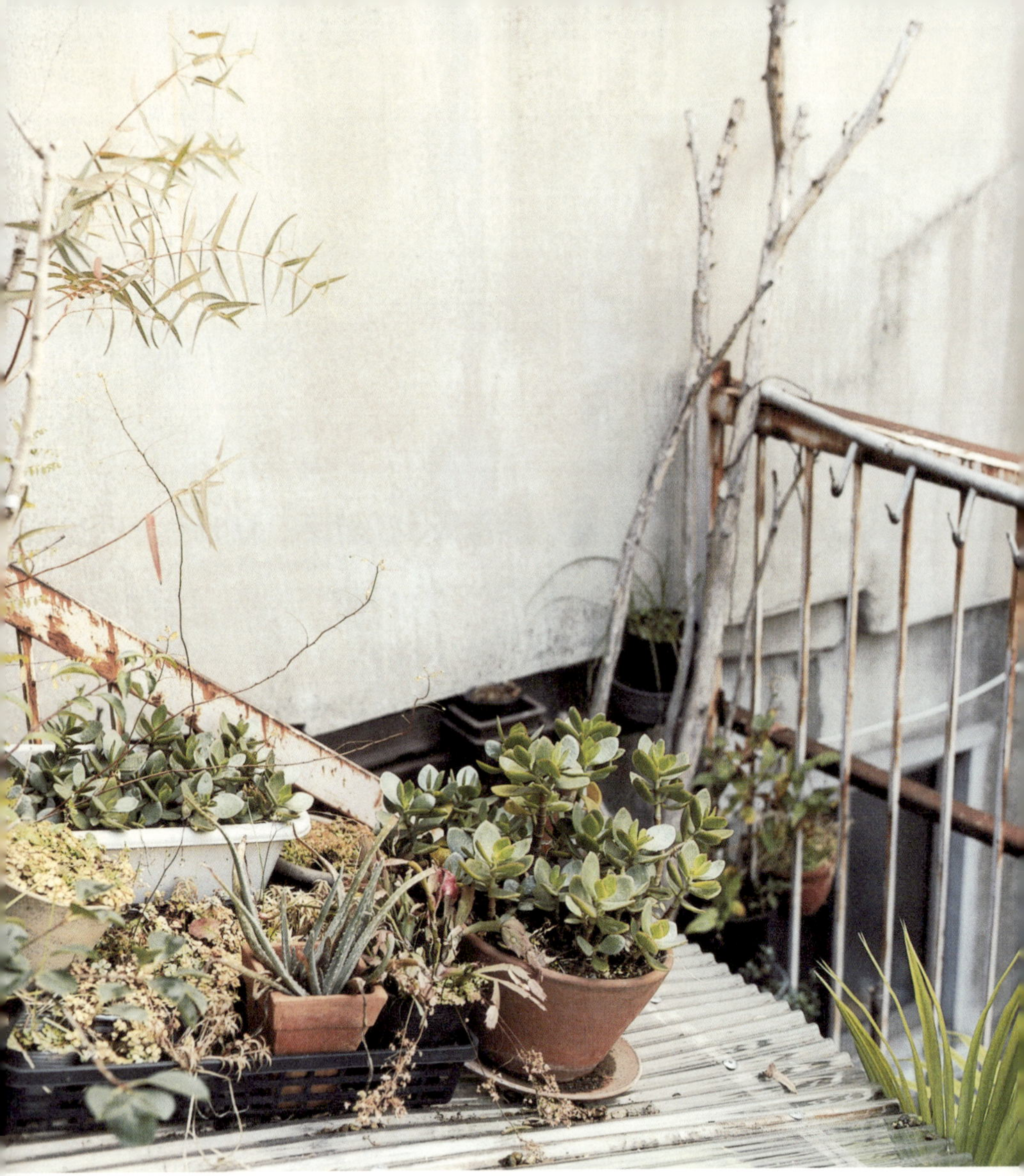

ヒリは植物をこよなく愛してはいるが、世に言うガーデナーとはちと違う。
ヒリがほんとうにめざしているのは、ザッツ・おばちゃんの庭。
家の軒先で、ざあざあ雨ざらしになって、雪が降れば積もるようなところに、
クーッと十何年も生えていて、水をしばらくあげてなくても、
ちょっとやそっとじゃちっとも枯れない、強い植物がたんまりあるような。
何かの葉っぱが一枚落ちて、そこからひょっこり芽が生え木になって、
ついには野生化してしまう庭、というかそれ的なもの。
もしやそれって、雑草なのでは……と、おそるおそる聞かなくたって、
キッパリ堂々雑草好き。大きな鉢にメインの植物があり、
その根元に三つ葉などの雑草が植わっているのは、たまらなくうれしい。
なので粗大ゴミの日に捨てられた、瀕死の植物を持ち帰るのもしょっちゅう、
ベランダにあるこれだって、店の前にあるあれだって、
もとはと言えば、そんな救済ものが、ほとんどだったりする。

一度、こんなこともあった。
トリのおばあちゃんのお墓の地盤が緩んで移すことになり、
そばに生えていた立派なツゲの木は、切られてしまうということになった。
それは違う！と思ったトリとヒリは、すぐさまお墓に駆け付けた。
周りの土を掘り、根っこの先っぽを探すと、墓石の下まで延びていた。
そして深夜になるまで、まっ暗な墓場で、ヘッドランプを灯してひたすら掘った。
ふと冷静になって見渡すと、このシビれる状況に思わずぞっとしたものの、
いいことをしているのだからと自分たちに言い聞かせ……るしかなかった。
そしてやっとのことで引っこ抜き、無事救い出すことができた。
結局そのツゲの木は、新しいお墓に移植することはできなかったけれど、
トリの実家で、ちゃんと今も元気に育っている。

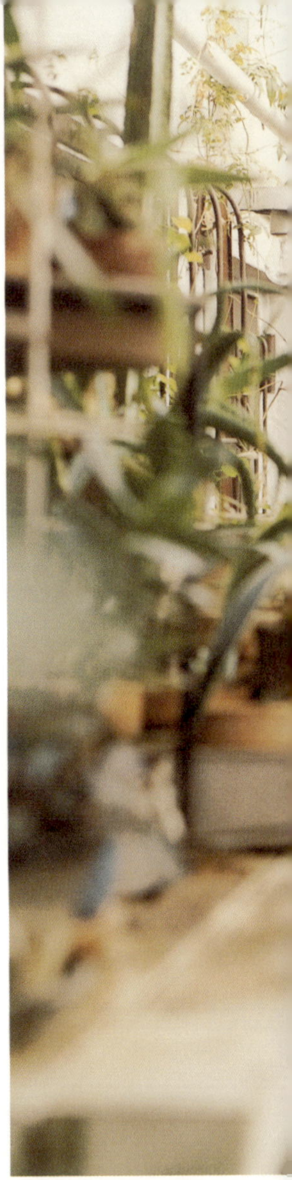

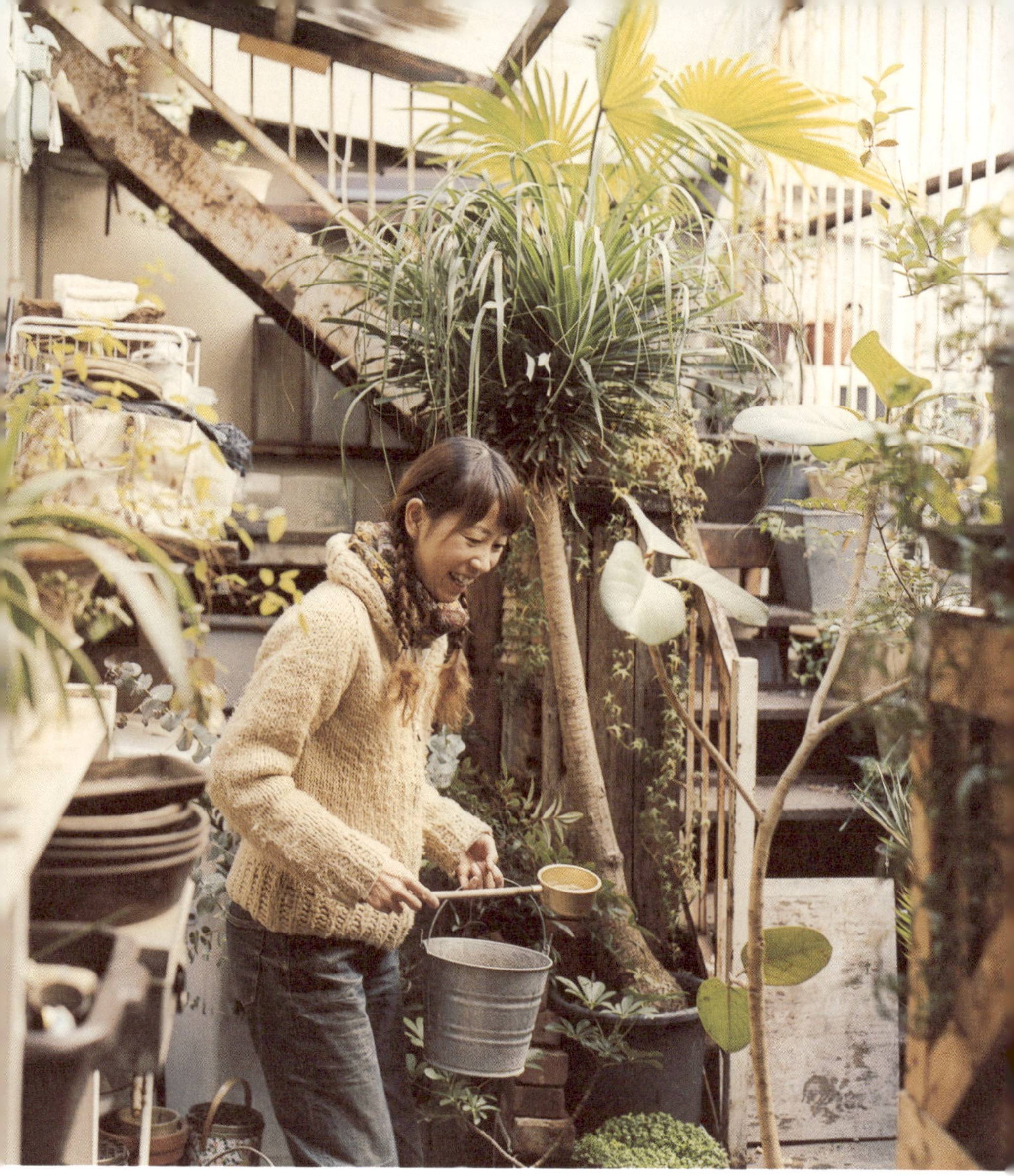

ATELIER
SHIROKUMASHA
http://www.shirokumasha.com

103

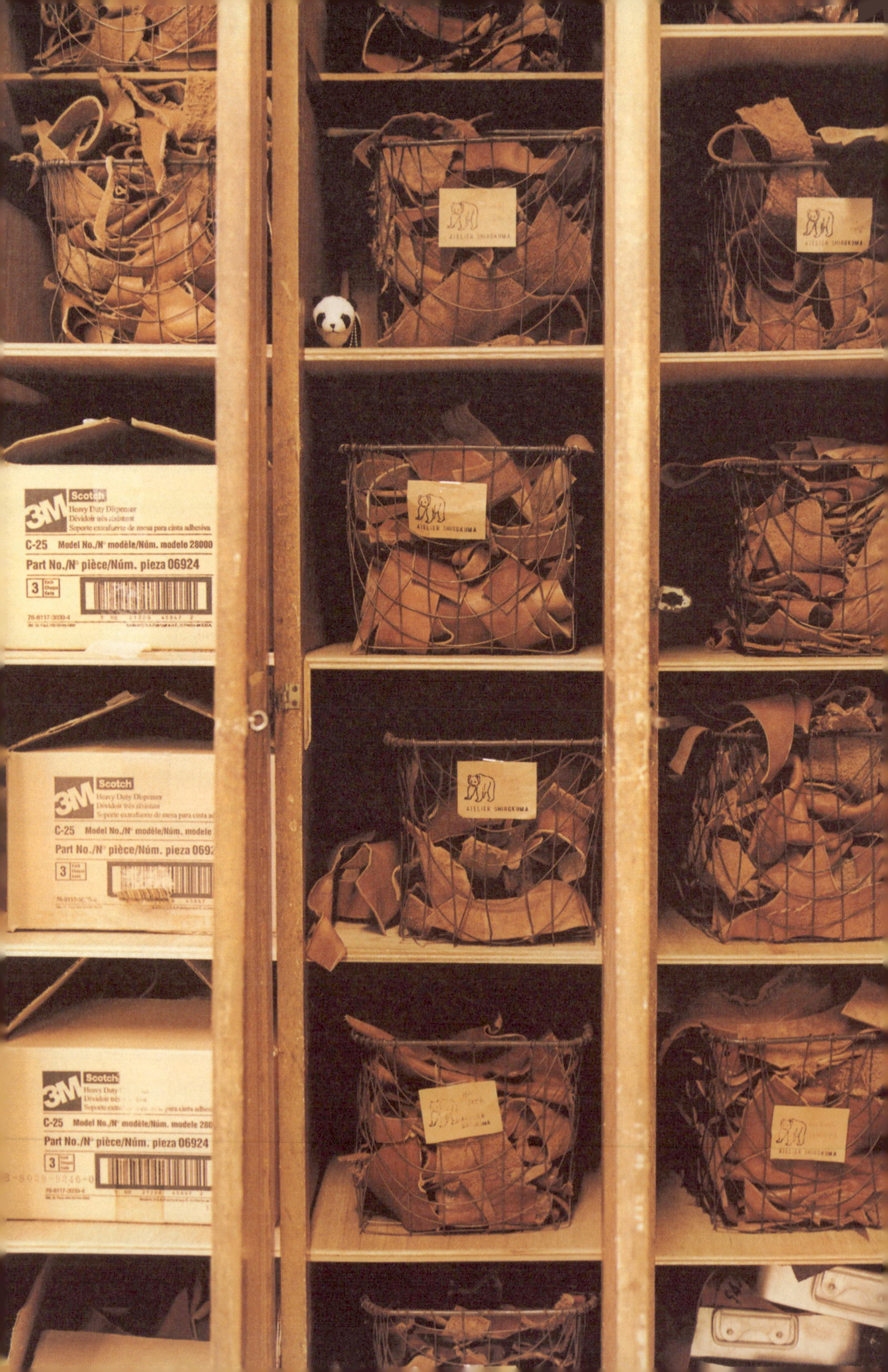
3M
Scotch
Heavy Duty Dispenser
Dévidoir très résistant
Soporte extrafuerte de mesa para cinta adhesiva
C-25 Model No./N° modèle/Núm. modelo 28000
Part No./N° pièce/Núm. pieza 06924
ATELIER SHIROKUMA

イボイボやシワシワがあったり、傷や焼き印が残っていたり。
牛の原皮というのはそもそも、そういうものらしく、
これをふつうは、ていねいに伸ばし化粧をすることで、なめらかに仕上げていく。
だけれども、それをあえてせずに干して、素のまま染めて、出たとこ勝負。
ムラになっても、シワになってもまぁよし、という
おもしろい風合いを持つ革を、TRUCKはつくった。
これを使ってソファにオットマンにと、カタチを変えていく中で、
どうしても切れっ端が出てしまう。
トリとヒリはしかしながら、この切れっ端こそが好きだった。
だから捨てられず、ずっと倉庫の隅っこに眠らせておいた。

やがてひと部屋ぶんはたまり、いよいよなんとかしないと、となった時、
ヒリの妹であるやーちゃんが、仕事を辞めたことを知った。
そこできらんとひらめいた。やーちゃんに余り革で雑貨をつくってもらおう。
おりしも近くにヒリのアトリエ「シロクマ舎」もでき、準備万端。
やらんでどうする、やーちゃんよ状態。
ひとつひとつ大きさやカタチが違うので、機械ではつくれず、すべて手縫い、
しかもそれだけではなく、センスもガッツリ要求される。
ただカエルの妹はカエル、日を経るにつれて才能はめきめきと発揮され、
今やシロクマ舎には欠かせない人になった。

病院から引き取ってきたロッカーを開けると、ワイヤーのかごがたくさんあり、
財布用、ベルト用など、やーちゃんの采配によって、ばくっと仕分けがされてある。
奥には取り壊しになる工場でもらってきた、革の漉き機もある。
ここでは、すんでのところで捨てられる運命にあったあれこれが、
これ以上ないくらいの、すばらしく新しい人生を歩んでいる。

106

LUCHA LIBRE
ARENA
BLACK WARRIOR
LUCHA LIBRE
ARENA
NEZA
POR EL CAMPEONATO
SHOCKER
EMILIO CHARLES
LOS 3 VILLANOS

シロクマは、ヒリの一番好きな動物で、だからここもシロクマ舎にした。
高い天井に、大きな窓がぐるりと囲み、
そこから見えるのは向かいの高校。ここに土と木々があるせいか、
眺めはすこぶるよく、うららかな風情をかもしだしている。

中にはヒリが集めたコレが、ところせましと飾られている。
お気に入りはえこひいきされ、特等席が与えられる。
こんなにも、いろんなものがわんさとあるのに、
ぜんぜんうるさい感じがしないのは、
国や時代はまったくもってごちゃ混ぜだけど、
色や素材、質感はキッパリ男前なほど、きちんと統一されているから。
基本は茶系か、アルミ系。
柄と呼ばれるものは、そこにはほとんどなくほぼ無地。
また、いかにもデザインされています、といったふうなものもなく、
電化製品のたぐいもドンくさい感じの、やや昔のもので占められている。
ただ、いくらかたちがかわいくても、使えないものはひとつもない。
ヒリの信条は「使えてなんぼ」だからだ。

ここはヒリにとって、さしずめ巣のようなものかもしれない。

109

VALENTINE'S
VALSPAR

Valspar Auto Enamel
Paints – Varnishes – Enamels
DRY TO USE IN 4 HOURS

VALENTINE
Quality Finishes
For 100

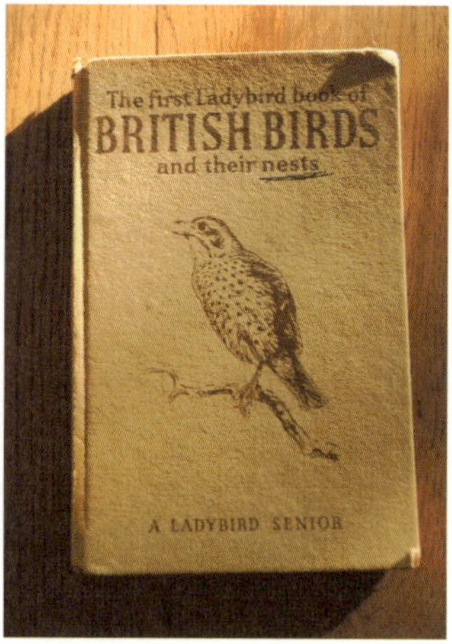
The first Ladybird book of
BRITISH BIRDS
and their nests
A LADYBIRD SENIOR

nest to nest

トリとヒリがオーストラリアに旅をしていた時。現地の友だちと、大きな木の下で座って話をしていたら、枝のところに鳥の巣（NEST）を見つけた。すると、友だちがこんなことを教えてくれた。
NESTは、オーストラリアでは鳥の巣という意味だけではなく、居心地のいい場所だとか、その場所をつくるためにいろいろ準備をし整える、そのこと自体の意味もふくまれているのだという。
たとえば、赤ちゃんが生まれる前に、ベビーベッドや洋服、おもちゃなどを買いそろえて、子ども部屋の準備をしたりするのもNEST。
ベッドから抜け出した時、じぶんのカタチそのままに、ふとんがこんもりと盛り上がっているようすもまたNEST。
なんとなく落ち着く場所。安らかで、ほっこりと憩える空間づくり。
トリとヒリは、その言葉がたいそう気に入った。
自分たちのやっていることも、まさにNESTだと思った。
そしてTRUCKの家具を買ったそれぞれの人にとっても、その場所がNESTであって欲しいと、心から思った。

ここにあるのは、TRUCKに魅せられてしまった5人、それぞれのNESTのカタチ。

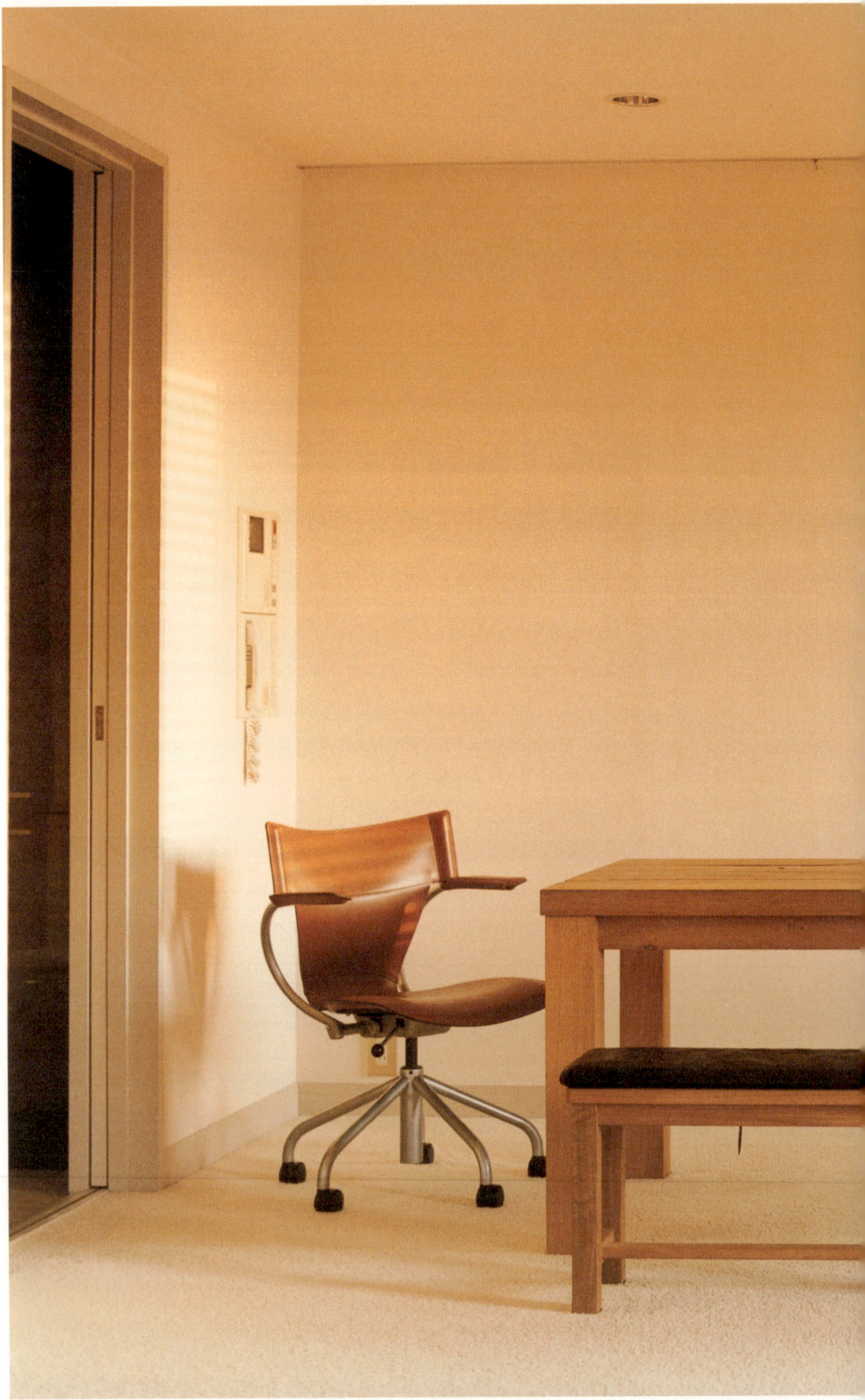

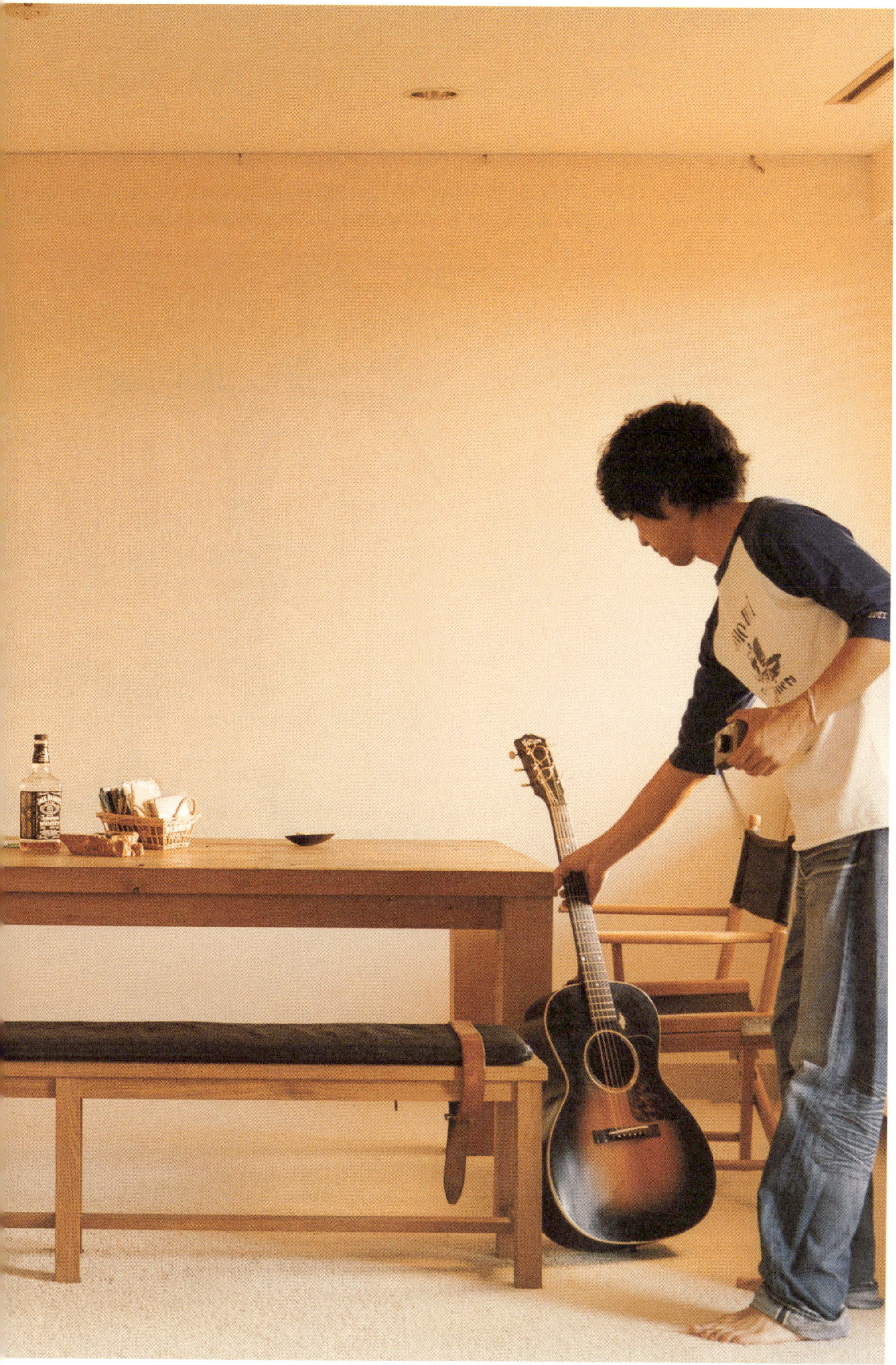

116

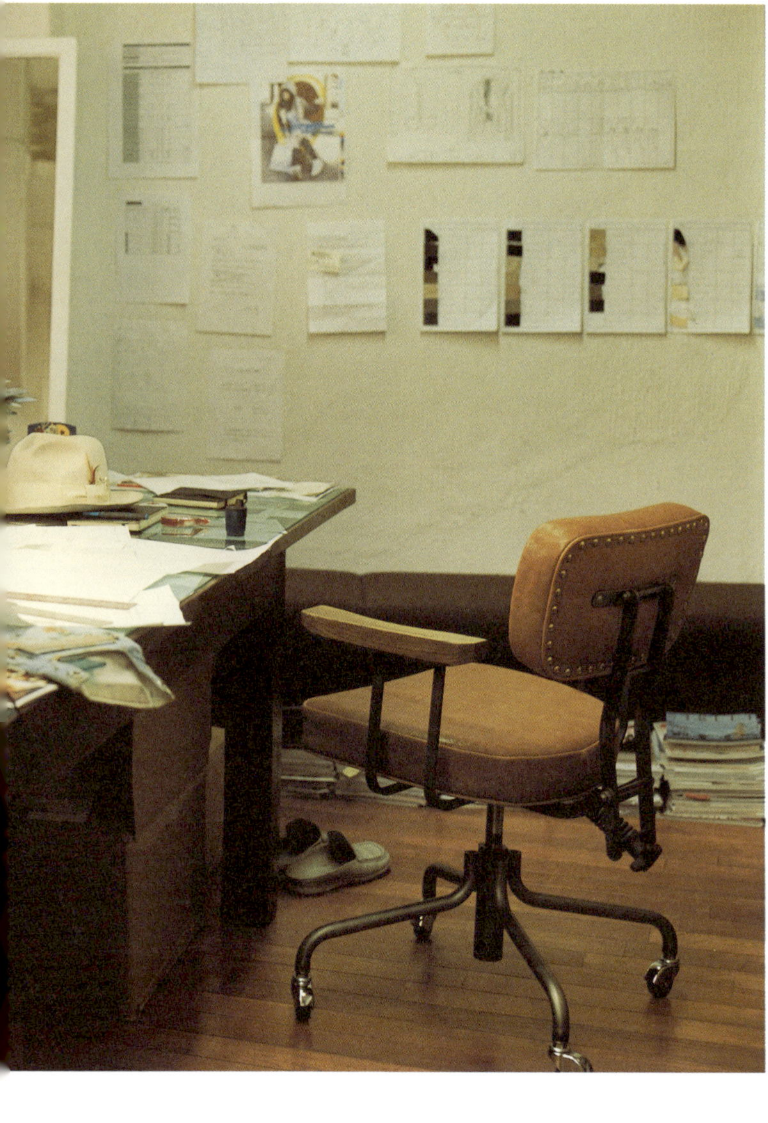

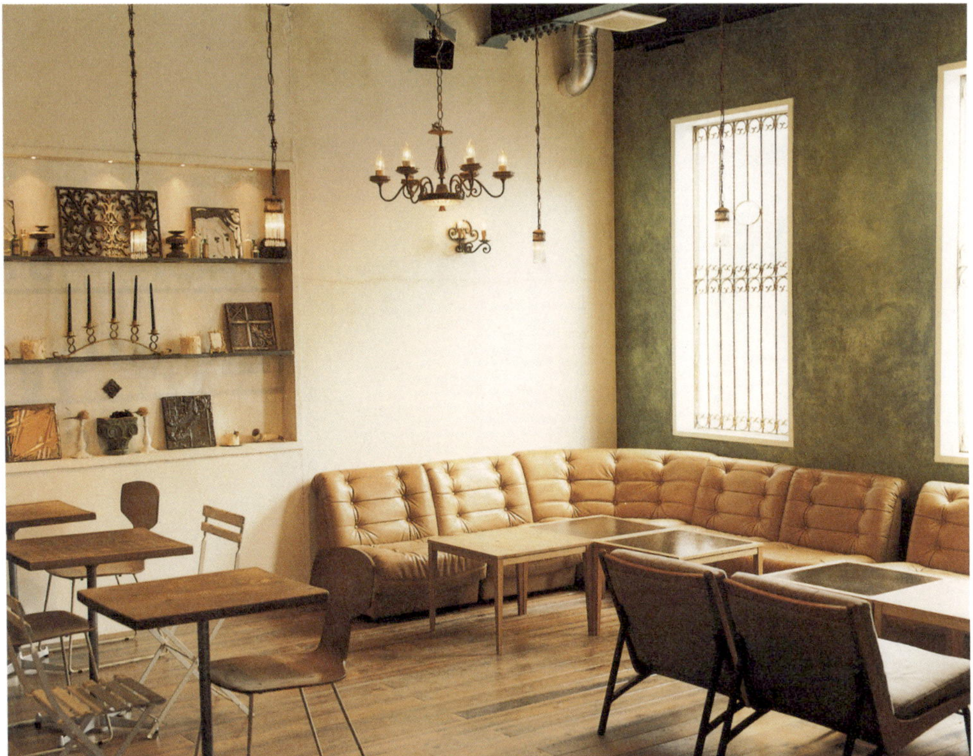

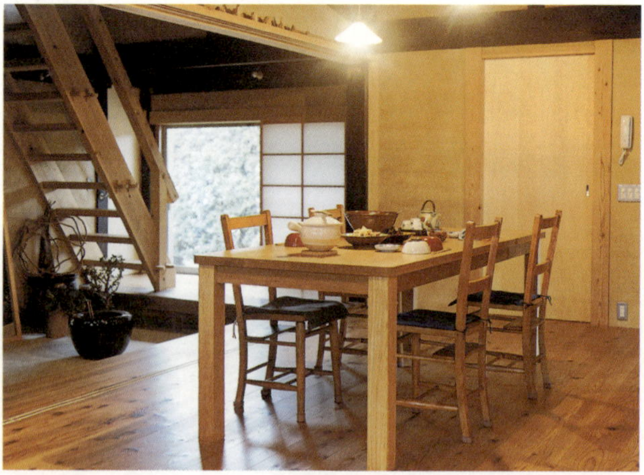

121

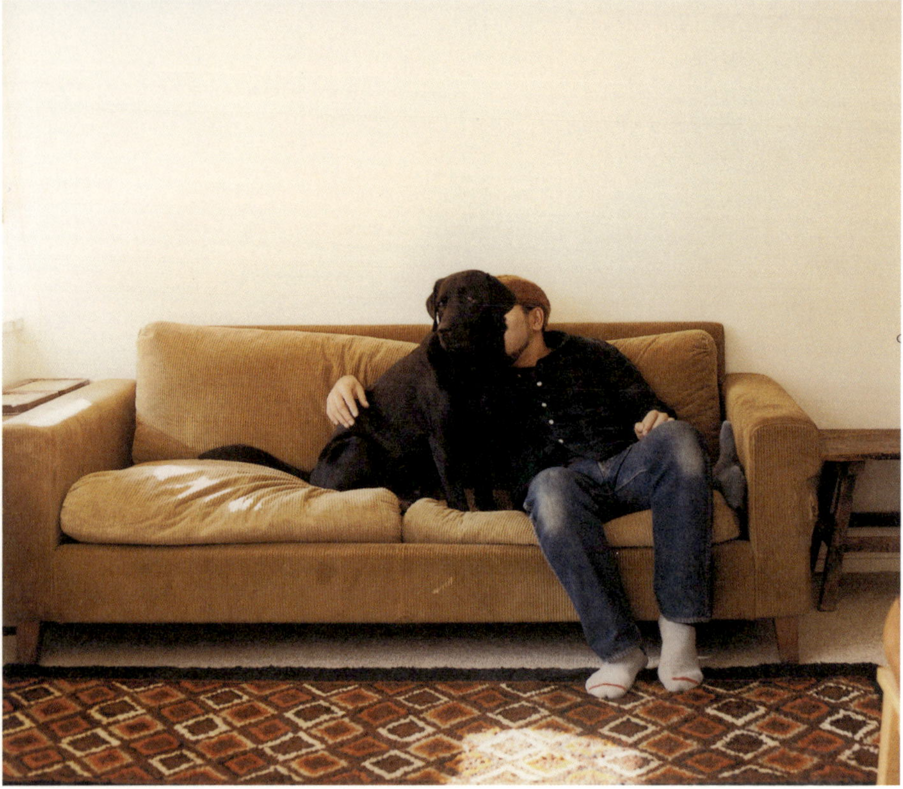

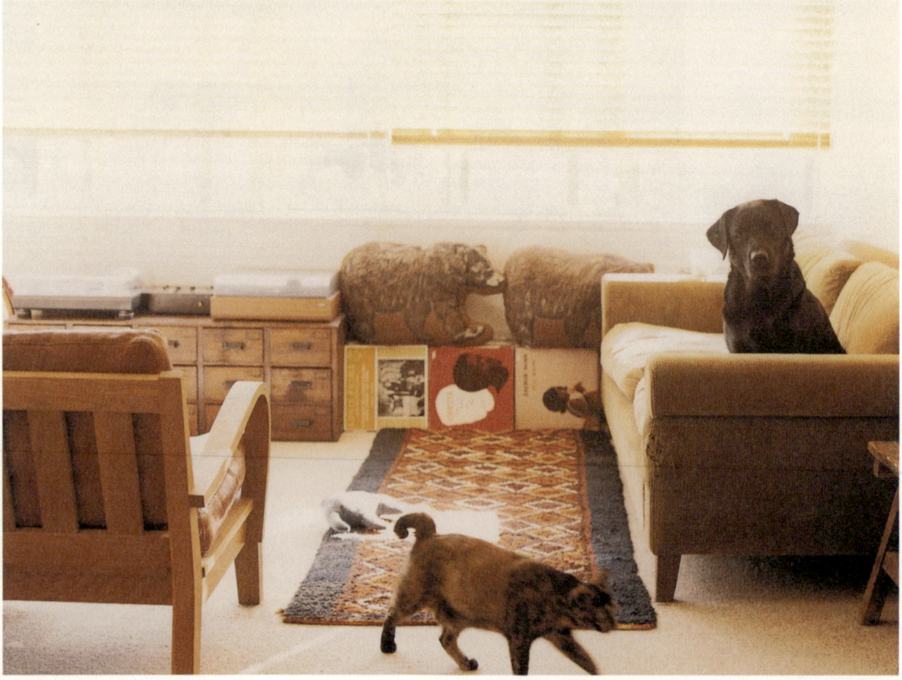

123

nest 1
masayoshi yamasaki

　気が付くと、ここで朝を迎えている。
　ここ、というのはリビングにある、TRUCKで買ったFKソファのこと。まるでアメリカのソファのように奥行きがあって、ゆったり座れるので気に入っている。
　前には大きなテレビと、箱根からわざわざ持って帰ってきた無垢の木を、天板代わりにした自作のテーブル。そして脇には、これまたTRUCKの、高さが天井まである大きな引き出し付きのキャビネット。いつもたいていここで、テーブルをオットマン代わりにして足を乗せ、ジャック・ダニエルをちびちびとやりながら、テレビを観ている。もしくは、音楽を聴いている。しばらくすると足がじんわりあったかくなってきて、いつの間にか眠りに落ちている。
　ギタリストなので、基本的に木が好きだ。それも節目とか、割れ目とかが出ている感じのほうがいい。だからダイニングに置くテーブルも、TRUCKの家具の中からそういうものをあえて選んだ。ここで字を書くわけではないので、支障はこれといってないし、きっと木の材質がいいのだろう。重厚だし、安心できる。まさしくこれぞ、地震になった時に入り込みたいテーブルだと思う。昔からそうしたい願望はあったけれど、今まではなかなか眼鏡にかなうテーブルが見つからなかった。が、ここでやっと探しあてた。このダイニングテーブルならば、何が来ても助かるような気がする。
　木がいいと、音もよくなる。ということで、自宅のスタジオで使うスピーカーを乗せる箱も、TRUCKにつくってもらった。これは多分、ふたりにとっても初めてのオーダーだったのではないだろうか。
　なんだかんだ言ったが、つまりは単純にTRUCKの家具に惚れている。

山崎まさよし／シンガーソングライター

nest 2
keiji wakabayashi

　ずうっと、自分の中で迷っていることがある。

　それは自分（の趣向）がヨーロッパと、アメリカのどっちかということ。たとえば生地だと、本物のヨーロピアンアンティークよりも、歴史がないぶんややゆるい、ヨーロッパを中途半端にまねたアメリカンアンティークのほうが、逆にかわいく思えたり。また最近、自分のデザインした服は、ニューヨークのスタッフが好きだと言ってくれるので、やっぱりアメリカかなあと思うこともあるけれど、街自体は、パリにいるほうが楽しかったり。と、常に行ったり来たりしていて、どうにも決まらない。

　だけどほんとうのところを言えば、男は、ものを買う時に永遠を求めているところがある。もう、これでいい。買ったものをずっと一生、いや孫の代まで使い続けたいという気持ちが、どこかにあるのだ。

　TRUCKの家具を見た時、それが叶えられるかも、とすぐに思った。揺れ動くそんな自分の気持ちを、全部受け止めてくれる存在として。

　結局のところ、アメリカやらヨーロッパやら、どっちっぽいとかではなく、スマップのあの歌といっしょで、オンリーワンなんだと思う。

　いずれは自宅の家具をTRUCK100％にして、いっそのことTRUCKのショールームにできるくらいまでにしたいと思っていて、また今後、お店をオープンする時の什器もTRUCKにすると決めている。けれどとりあえずは、事務所で使うためのデスクワークチェアを手に入れた。

　TRUCKのふたりを見ていると、姿勢を正されることがすごく多い。自分のことに対してすごく真剣。僕は長いものにときどき巻かれるタイプだけど、TRUCKは決して巻かれない。規模はちいさいけれど、じゅうぶんすぎるほど大きなハートを持っている。

　同じものづくりをする者として、それは心底うらやましい。

若林ケイジ／デザイナー、『national standard』プロデューサー

nest 3
chiharu

　きっかけは、だんなさんから。彼の事務所の引っ越しを機に家具を替えようとしていて、取り寄せていたたくさんのカタログの中にTRUCKがあった。パラパラとめくってみて、すごいよさそうって印象は、その時からあった。

　しばらくして家を引っ越すことが決まり、新しい家具が必要になった。もともとアンティークものが好きで、それだけでそろえようという気持ちもあったけれど、やめた。家が新築だったからという理由もあったのかもしれない。そこで、思い出したのはTRUCKのこと。そう、ここの家具ならきっと家といっしょに育てていける、そんな気がした。

　さっそく電話で根掘り葉掘り、いろんなことを訊ねまくった。そしてヌメ革のソファと、オークのテーブルと、キャビネットを買った。どれもけっこう重かったけれど、その重さがいいなって。

　使ってみてもやっぱりよくて、しばらく経つと、やっと自分のものになってきたなという感じがした。汚れても傷が付いても、いい味に変わってくれる。それがかっこいいんじゃん、と思えた。

　それから自分のお店を立ち上げる時も、当たり前のようにTRUCKでいろいろ買いそろえた。さらに広い場所に移転する時もすぐに相談した。かといってぜんぶ替えるのではなく、できる限り前の家具を使おうと思っていた。

　新しく買ったのは、ウーマソファ。最初は違うものをイメージしていたけれど、これを新しくつくったから、とTRUCKのふたりに勧められて。写真を見ただけでも、確かにとても気に入った。でもふたりは、いやいや、直接見て判断してもらわんとあかんからと言い、ちょうど大阪でテレビの収録があったあと、局までわざわざトラックに積んで運んで来てくれた。

　TRUCKの家具も好きだけど、ふたりが大好き。やっぱり好きな人から買うと大切にしようと思うし、うれしい。

ちはる／タレント、「CHUM APARTMENT」オーナー

nest 4
maki otani

　実家の改築を機に、両親にテーブルをプレゼントすることになった。

　実家はもともと祖母が生まれたうちで、150年は経っている昔ながらの古い日本家屋。これまで畳中心の生活だったのを、ほぼフローリングに変えることにしたのだ。

　テーブルに決めたのは、食まわりの仕事をしている関係上、食卓は大事だと思ったのと、母親が大好きなごはんに関係したものがいいなと思ったから。いろいろ考えをめぐらせ、TRUCKに相談し、オーダーすることにした。

　まず真っ先にイメージしたのは、大きなテーブル。実家に暮らしているのは両親と姉の3人で、そんなに必要ないと母親は言うけれど、デスクとしても使えるし、とにかくぜったい大きいほうがいいと思った。それからメジャーを持って、ダイニングとなる場所を何度も何度も測ってシミュレーションをした。みんながめいめい皿を置いて、さらにまんなかに大皿が置ける、でも遠すぎない奥行き。横に3人ずつ座っても、窮屈にならない幅。引き出しは欲しいけれど、ももに当たらない高さ、とかとか。

　ただひとつ、躊躇したのは角のこと。父親はちいさい子がやって来るとすぐテーブルの角を気にするので、丸くしてもらいたかったけれど、TRUCKのデザイン性と違うのではないだろうかと。おそるおそる訊ねてみると、あっさり「ええよ」と一言。しかも「そやったら脚の外っかわも丸くしといたほうがええんとちゃうかな」と、わざわざサンプルまで送ってくれた。

　そうして1年半経った今。テーブルはわが家の中での核のような役割をしている。父親はスマートですっきりしたデザインがたいそう気に入り、母親はここで洗濯ものがたためることをしきりに喜んでいる。誰かのために家具をオーダーするのは面白く、同時にものすごく考えた。ただそれも、仲のいいTRUCKとだからできたことだと思っている。さて、今度は自分の番。家を引っ越すにあたり、TRUCKのHRソファを虎視たんたんとねらっている。

大谷マキ／食と暮らしまわりのスタイリスト

nest 5
kentaro

　最初に手にしたTRUCKの家具は、デスクワークチェアだった。
　とにかくあれはささった。そしてすぐ買った。ある日、どこも分解されることなく大きな箱にそのまんま入れられて届けられた時は、驚いて笑った。
　実際使ってみると、決して平凡ではなく個性があるのに、どこに置いてもなじんで、すぐに自分ちのものになる、そんな感じだった。
　他の家具もそうだ。決してデザインデザインしてはいない。けれどぜったいにクラフト木工家具的でもない。厚みとか、素っ気ない感じとか、工業製品的なところ。なんでもないけれどなんだかうれしい。そういうもの。
　この部屋を借りたのは、4〜5年前のこと。引っ越しに際して、それまで使っていた家具をほぼすべて処分し、ここで一発ぜんぶ替える決意をした。ちょうどその少し前から、好きなものが変わってきていた。もとはどちらかと言えばもっとポップなものが好きだったのが、くすんだ色がいいなと思ったり、木のベーシックなものに興味が行くようになってきたり。今まで何度も見ていたけれど、改めて一生の家具を選ぶ目でTRUCKを見ることになった。
　まずはテーブルとベッドを買った。TRUCKのふたりが納品にやって来て、さっそくテーブルを組んでふだんの動作を試してみると、ふと、少しだけ高い気がした。ちょうど皿1枚分くらい。ほんの少し。明確な基準はないし、慣れるかもしれないし、やっと今日からテーブルライフも始められるし、このまま使ってみるか相当悩んだけれど、でも、やっぱり大阪に送り返して、急遽、脚を1センチだけ切ることにした。
　ちょっと高いから切る、それだけのこと。決してむずかしいことじゃない。けれどできあがった家具をあっさり切ってのける店は少ない。
　確固たる自信の上にある、柔軟で迅速で素敵な姿勢。TRUCKはやっぱりうれしい家具屋だと、その時も思った。

ケンタロウ／料理家

TO DRAW

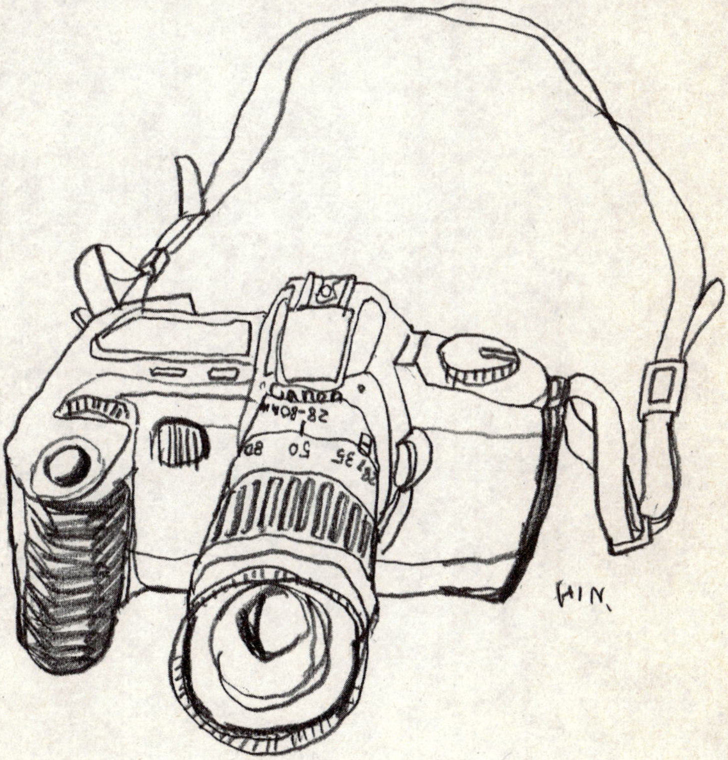

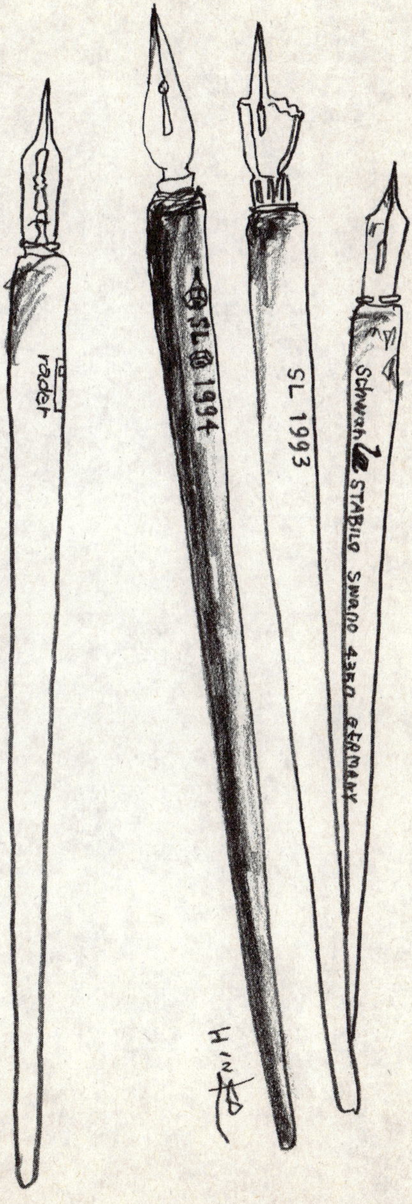
räder
SL 1994
SL 1993
Schwan STABILO Swano 4350 GERMANY

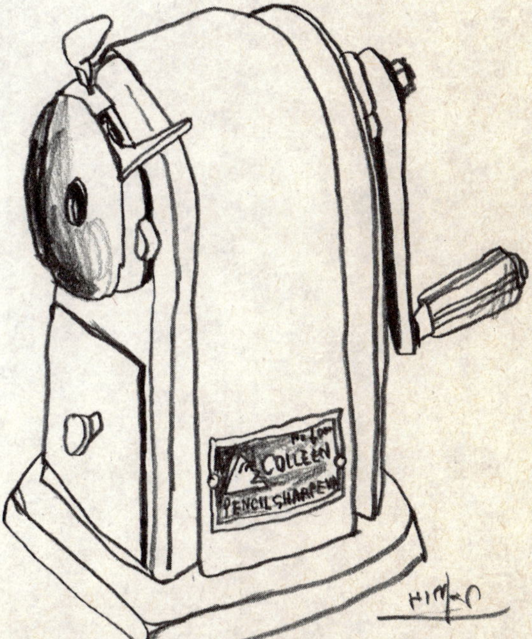
COLLEEN

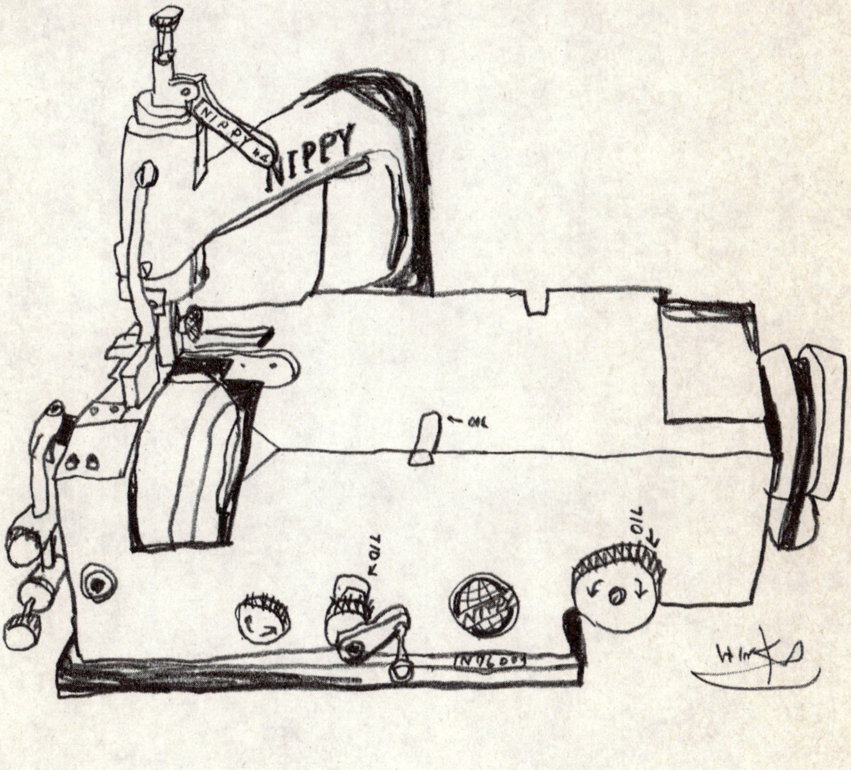
NIPPY
NIPPY 44
OIL
OIL
OIL

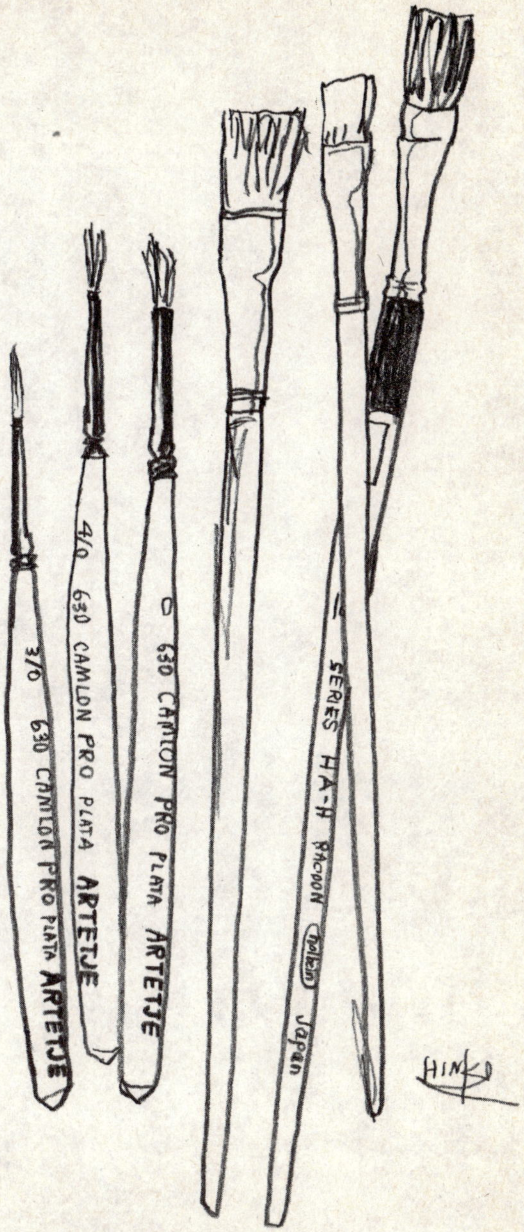
3/0 630 CAMLON PRO PLATA ARTETJE
4/0 630 CAMLON PRO PLATA ARTETJE
0 630 CAMLON PRO PLATA ARTETJE
16 SERIES HA-H RACOON holbein Japan

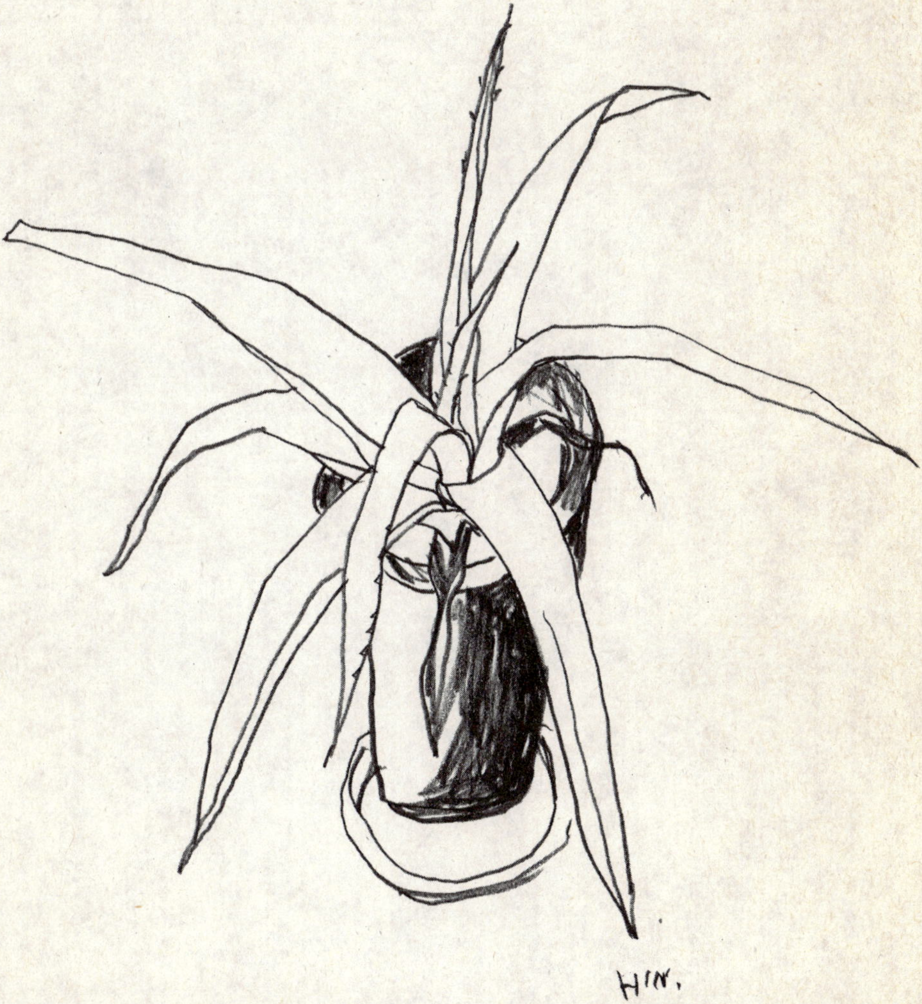
HIN.

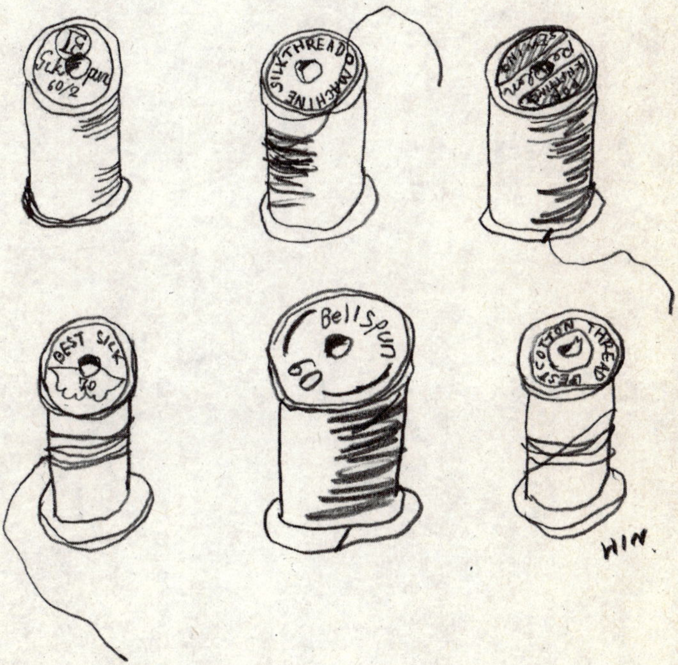

Silk Spun
60/2
SILK THREAD MACHINE
BEST SILK
70
Bellspun
60
BEST COTTON THREAD
HIN.

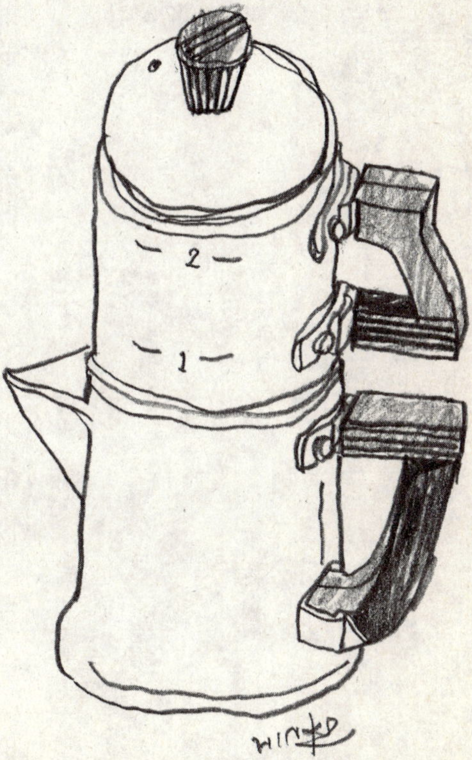
2
1

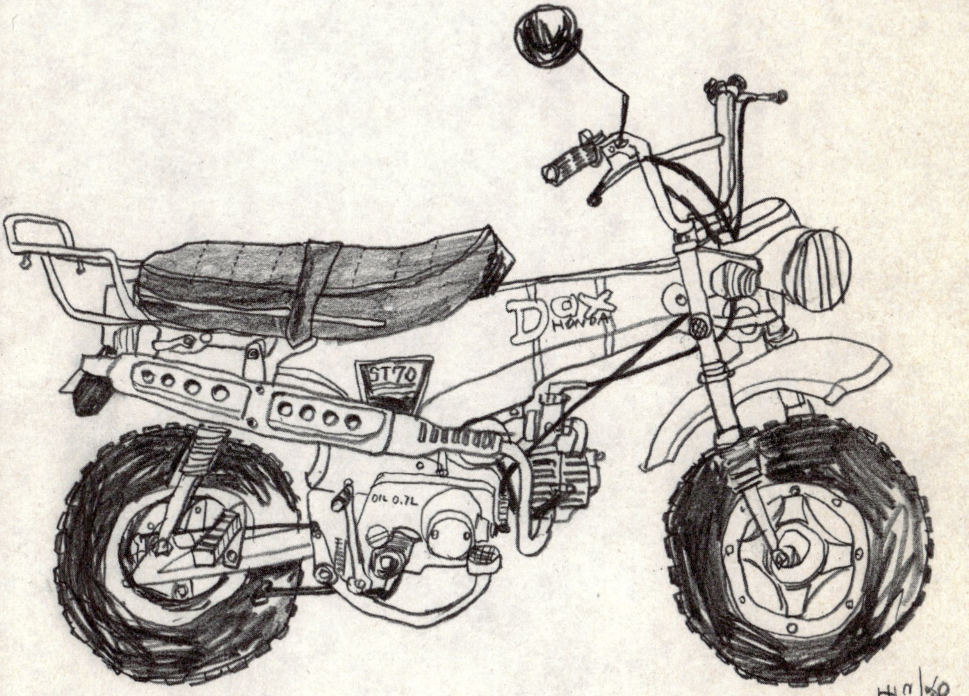

Dax
HONDA
ST70
OIL 0.7L

TRUCK FURNITURE ARCHIVES

ARCHIVE - 1
UNTIL TRUCK BEGINS

ARCHIVE - 2
PROCESS OF MAKING FURNITURE
AND CATALOG

ARCHIVE - 3
AREA 2, NOW AND THEN

ARCHIVE - 1

ARCHIVE - 1

トリとヒリが出会うまで

　今でこそ。TRUCKはもはやTRUCKでしかなく、この場所も、この生活も、この家具も。トリもヒリもBUDDYも、わんにゃんも。近くにいい感じの公園があることさえも。ぜんぶがさだめられていたかのごとく、あるべきものがしかるべきカタチで、奇跡的に温和な調和を保ちながら、ゆうゆうと収まっている。

　しかし、あらゆるものごとがなべてそうであるように、もとからそうなっていた、なんてことはありえない。奇跡でも偶然でもなく、ここに至るまでには種があり根っこがあり、そこから芽が出るきっかけがあり、やがて育まれていくなりたちがある。そして枝分かれがあるたびに、誰かの、もしくは何かのきちんとした意志によって、それは確実に選び取られている。

　トリにとって山は思えば、ちいさな頃からこの上ない自分の居場所だった。
　ただし、いわゆるワンダーフォーゲル的な足を使った山登りではなく、7つ離れた兄の影響で知った、マウンテンバイクやオートバイ。大阪の信貴山や金剛山といった近くの山まで、兄にバイクのうしろに乗せられ、てっぺんまで一気に上る。そして兄の背中にひしとしがみつき、足をぶらんぶらんさせながら林道を走り回るのが、おもしろくてしょうがなかった。中学生になるとマウンテンバイクを取り寄せ、休みのたびに担いで山を登り、道なき道を選んで下る、を繰り返す日々。

　それらの山々はあまり険しくはなく、大きな広葉樹が道の両側から生えていて、そこから木漏れ日がきらきらと射していた。秋になると、なだらかな起伏に落ち葉がまんべんなく敷き詰められた、いい感じの場所がたくさんできた。トリは中でも一番眺めのいい特等席に腰かけ、そこでコーヒーを飲みながら、クッキーを食べるのが好きだった。

　また高校生の時はよく小説を読んでいて、そこからの影響もいろいろと受けた。たとえば片岡義男の小説にはオートバイがよく登場し、そこにはちょっとした気分をかき立てることがよく書かれていた。秋の山道を走っている時にバックミラーを見ると、枯れ葉が舞ってついてきていた、とか。そういうのを自分もまねてみたりして、フッと悦に入ることもあった。

　そんなトリにとって、信州という土地はすこぶるのきらめきとあこがれを感じるところだった。自分の未来を決めてしまえるほど。

　中学生の時、よく山に連れていってくれた兄に言われたセリフを、トリはずっとなんとなく、でもはっきりと覚えていた。
「誰かに何ができるか聞かれた時、これができると、ちゃんと言える人間になれ」

　それがずっと頭にあったトリは、高校生3年生になって進路を決める時、周りは当然のように大学へと進もうとしていた中で、ひとりだけ「その必要があったら」と、ひょいとかわした大人びた発言をしていた。

　そんなある日、たまたま買った雑誌をばらばらとめくっていたら、信州にある、長野県立松本技術専門校の木工科を紹介する記事があった。言うところ、家具の職業訓練校。その時トリの目に見えていたのは「家具」でも「技術」でもなく、ズバ

リ「信州」という言葉。トリのアタマの中での信州のイメージは、それこそ、サワヤカー、コモレビー、キラキラー。

雨が降ってじめじめとして、その上休日の少ない6月が、昔からずっときらいだった。

山が好きで、ちいさい頃から自然にとても親しい気持ちを抱いていた。

そして兄の言うように将来、自分はこれができる、と自信を持って言える人になりたいと思っていた。

今考えるとそろいもそろって、実に単純で、向こうみずな理由ではあったものの、18歳のトリの気持ちをかき立て、固めるものとしてはじゅうぶんだった。

トリはその家具の学校へ行くことを決めた。

行ってから知ったことだが、そこには「松本民芸」という老舗の家具メーカーがあり、木工家具が地場産業として栄えている、家具に興味がある人たちにとって聖地のような場所。また授業も必然的に、ハンドクラフトに重点を置いた、本気の職人になるための内容。これもあとで聞いたことだが、家具の職業訓練校ならば地元の大阪にもあった。だがそこは、もっと量産系の家具をつくるためのカリキュラムだったという。

たまたま、というにはあまりにできすぎなほど、信州行きがその後のトリの人生を決定付ける一歩となった。

ヒリはずっと、さかのぼればどこまでも幼い頃から絵を描くことが好きだった。事実、TRUCKを始めるまでヒリは、イラストを描くのを生業にし、とてもうまくいっていた。ただそこに至るまでには、いくばくかの回り道をせざるを得なかったのだけれど。

もともとヒリは大学へは行かず、専門学校に入るつもりだった。しかし周りに、ちゃんと大学に行って勉強してみればと言われ、美術の先生にデッサンを教えてもらい、芸大を受験した。すると、ぽんと受かってしまった。専攻がテキスタイル科だったので、卒業してからは大阪の本町にある繊維関係の会社に就職した。

しばらくは実家にいながら通っていたが、途中からは神戸の新築マンションで暮らしていた。

部屋をいい感じにすることは好きだった。けれどインテリアやスタイリングといった意識はまるでない。どのデザイナーやブランドが好きとかもない。名前じゃホレない性分だった。

流行ものにもさして惹かれず、目が行くのはシンプルで味わい深い系。古いものも好きだけれど、骨董にこだわっていたわけでもなく、商店街の怪しいお店にある、木とかさびかけた鉄とかアルミの家具や雑貨がおもしろく、よく通っては物色をしていた。

その趣向はいくつになっても、また時代が変わっても、ちっとも変わることはなかった。だから自然な流れでの持ちがよく、小学生の時両親に買ってもらった机（それも学習机ではなく、自分で選んだマジグレーの事務用机）を大人になるまで使っていた。

仕事は忙しかった。朝いちに会社に行き、夜遅くに帰るという生活。その上会社が地下鉄から直結したビルだったので、一日じゅう空が見えない。自然を感じられない。

それでも最初はなんということもなく過ぎていったが、それが変わったのが、初めての海外旅行でバリ島へ行った時。どこまでも広がる美しい自然、

現地の人たちのおおらかで気持ちのいい心に触れ、それに比べ自分の、日々晴れているのか、雨なのかすらも分からない今の生活は、ぜったいによくないと思った。

それから、昼休みになると自転車でひとり出かけるようになった。だが、近くに公園がないか探すものの、なかなか見つけられない。

そんな日々に、環境に。ヒリはとてつもない疑問を感じ、会社を辞めた。

それからもしばらくは神戸暮らしをしていたが、1年ほど経って大阪に戻ることにした。

覚悟を決めたのは、この時だった。

今まではたんたんと、どこか受け身で、流されるがままだった日々。でもこれからはもっと自分と向き合って生きよう。そのためにも、ずっと好きだったイラスト、そう、イラストをちゃんと描こうと、ヒリはピッと思い立った。

信州の家具学校を卒業したトリもまた、周りの人たちが地元に残って就職するのを尻目に、大阪に戻る道を選んだ。自然は好きだったけれど、自然がありさえすればいいわけではないことを、1年間の学生生活で悟ったのだ。

そして実家から自転車で通えるちいさな木工所で3年半ほど修行をしたあと、大阪の外れの畑のまん中にちいさな工場を借り、独立することにした。23歳の時だった。

家具のかたちを考え、パーツから何からすべてつくって、家具を完成させ、卸す。これらをぜんぶ、自分ひとりで。もちろん作業的なつらさはあったけれど、疑問やストレスはそれほどなく、生活もちゃんと成り立っていた。

ただトリは、自分のことを家具をつくる人ではあっても、まだまだ職人とは思っていなかった。なぜなら木工所でほんとうの家具職人を何人も見てきたトリにとって、おいそれとは言えない、言えるはずもないことだった。

ヒリもまた、イラストの仕事は順調なスタートを切っていた。友だちに同世代の女性デザイナーを紹介してもらい、その人に見せるととても気に入ってくれた。単色で早さのあるドローイングが得意で、雑誌やカタログを中心に、飲食店の壁に絵を描く、という仕事もしていた。

しばらくして、ヒリはテキスタイルの仕事をしていた時代の得意先の人から、友だちと雑貨屋を期間限定でやるので、何か雑貨をつくってみないかと声をかけられた。それまでバッグや小物など、自分のためのものはよくつくっていたヒリだったが、売るのは初めてのこと。ヒリは考えた末、素焼きのシンプルな鉢をドバッといっぺんに買って来て、ひとつひとつペイントをした。そしてそれらを抱えて雑貨屋に行った。

その時、あとからひとりの男の人が現れた。それがトリだった。

トリもまた、当時つくっていた家具を雑貨屋に置いてもらうためにここにやってきていた。

お店の人からトリを紹介されたヒリは、自然になんとなく話をするようになり、すぐにおたがいびっくりした。話をすればするほど、好きなものや価値観がことごとく、ものの見事にぴったり合うのだ。異性なのにこんなに分かりあえる人がいることが、よもや信じられなかった。じゃあこれは？　これは？と話はとことん続き、いつまでも尽きることはなかった。

それからヒリとトリは飽きることなく、毎日のようにたくさんの話をした。ヒリが深夜までイラ

ストの仕事をし、寝ていると早朝にトリから電話がかかってきて、奈良にシカを見に行こうと言われて、行ったこともあった。またしょっちゅう海や山に向かっては、石やレンガをいっしょに拾い集めたりもした。今までみんなに怪訝な顔をされていたことなのに、いっしょになっていっしょうけんめい探してくれたり、運んでくれたりするトリの姿を見て、ヒリはほんとうにうれしい気持ちになった。

されど恋に落ちる、そんなロマンチックでドラマチックなものでは、正直言ってぜんぜんなかった。とにかくいっしょにいて、ものすごくラク。よく思われたいということもなかったので、気を遣ったり、装ったり、飾ったりする必要もなく、100%素のままでさらけだせる関係。またふたりとも今までひとりでやってきたという自負があるので、どちらかがもたれかかったり甘えたりもせず、ちゃんとひとりの人間として自立していた。

しかもそれらはぜんぶ、時間を経て少しずつ築き上げられていったものでもなく、はじめからそう。周りもとてもおどろいたけれど、トリとヒリ自身が一番ふしぎだった。

やがて、ふたりの基地を持とうという話になったのは、ゆえに当然の流れだった。

TRUCKができるまで

最初に浮かんだのは、ふたりの住まいと仕事場。今3つ借りている場所をすべてひとところにしよう、という発想だった。家具とイラスト、どちらもひとりで仕事をやっている身だから通勤する必要はないし、時間ももったいない。家賃もぜんぶを合わせたら、けっこうな額になる。ただ問題はトリの仕事場。家具をつくるには、ある程度の広さが必要だった。

だからふたりの中での理想は、でっかい倉庫のような物件。そこが工場も住まいも兼ねる。もしできれば家具を見てもらえるショールーム的な機能もあるに越したことはない。風呂がなければキャンプ用の簡易シャワーでも付けて、あとは寝るところさえ確保できればいい、くらいの考えだった。

場所は、緑は多いほうがいいけれど、山の中で暮らすタイプではない。またどっちも実家が大阪なので、地方に行く気もあまりなかった。

そして物件探しのゴングは鳴った。不動産屋さんもふつうに回る一方で、自分たちでも大阪じゅうを車でめぐりめぐって、いいなと思う物件をポラロイドカメラで撮りまくった。それから役所に行ってその物件の登記を調べ、時には持ち主の自宅にまで押し掛けたこともあった。また交渉の際は、どこでも子ども扱いされてしまうので、自分たちの持っているせいいっぱいの大人めな服を着ていったりもした。

そうして探しまわっていた時に、たまたま出て来た物件が「ボロボロでもええんやったら」と不動産屋さんに念を押されながら紹介された雑居ビル。玉造という下町のとある国道沿いにあり、確かにそのボロっぷりは、いかなる想像をも遥かに絶するレベルだった。しかも前の居住者が夜逃げでもしたのかと思うような、10年前の家財道具がいっさいがっさい、まんま残された状態。これもまた、気味の悪さをよりいっそう増幅させた。

ふたりは不動産屋さんに、ここを自由に改装できるように説得した。ただ、向こうにとって、壁をめくったり、天井を抜くのは、壊されるというイメージしかなく、交渉はすこぶる難航した。そ

してようやく了承の返事がもらえた瞬間、ふたりはここを借りることに決めた。

　1階を工場兼ショールーム、そして2階を住まいにしようと、設計図やイメージ図を"なんでもノート"に細かく細かく記しては、未来の暮らしをホワンホワンと日々夢想しまくるトリとヒリ。そこに至るまでには、長く険しい道のりがあるということは分かっていたが、やる気マンマン、鼻息フッフン状態のふたりにとって、もはやそれは怖いというよりも、むしろ楽しみなことだった。

　ふたりがまずしたことは、解体業者を探すこと……ではなく、瓦礫を運ぶための軽トラックを5万円で手に入れること。どちらが言い出すまでもなく、解体から家、店づくりまで、ぜんぶを自分たちの手でやるものと、当然のように考えていた。

　とは言ってもその頃はまだ日本では、今のようにリノベーションという言葉もなく、世間一般ではまったく当然なことではない時代。そんな時に自分たちだけでやろうとした理由は、もちろん金銭的な問題もあったけれど、決してそれだけではなかった。

　バールで、天井や壁を思いっきりたたく。すると思いのほかかんたんに、それらはうまくはがれ落ちた。調子に乗ったふたりは、どんどん解体を進めていった。ものすごいホコリを避けるため、頭と顔をタオルでぐるぐる巻きにし、わずかに目だけをさらした怪しげな格好で、何日も何日もほとんど寝ずに、ひたすら作業に打ち込んだ。

　でもふたりは至って元気だった。タオルの鼻の穴のところだけが粉塵でまっ黒になり、そんなおたがいのようすを笑い合ったり、写真を撮り合ったりした。

　こんどは山のように積み上げられた瓦礫を捨てる番。トラックに山盛りてんこ盛りにして、何往復もした。

　がらんと何もない、コンクリートむきだしのスケルトン状態になると、いよいよペンキとハケの登場。ふたりは壁だろうが天井だろうが、とにかく白く塗ることにした。コンクリートのあとがデコボコしていたけれど、かまうことなどなかった。おもに壁はヒリ、天井はもっとたいへんなのでトリの担当。ちぎれるかというほど腕をシビれさせながら、塗って塗っての日々が続く。

　それが終わると2階の住居の床張り。当然、自分たちで丸鋸を持って、切って張る。仕上げはあえてほとんどせず、あとは「人間の足の裏オイルフィニッシュ」に期待することにした。

　結局2階の部分はわずか1ヶ月で、電気とガスの工事以外すべてふたりだけでやり遂げた。

　そのやった感は、口ではもうとても、表せないほどだった。

　それからすぐさま、店づくりにとりかかろうかと話していたふたりだったが、どっこい、そうもいかない事態が勃発してしまった。

　そう、お金だ。

　工事費は自分たちでやることでけっこう浮いたものの、空家賃が毎月飛んでいくのはあらがいようもないこと。まずトリが貯金から払っていたが、やがて底をつき、こんどはヒリが交代で払うことに。その間、ショールームはできなくても工場はすぐ回せるからと、それぞれ家具の卸しとイラストの仕事をやって、貯金をしようということになった。

　何ヶ月か、そうして時が流れていった。家もなんとか整え、住めるようにはなっていた。じゃあ

もうそろそろ？　いやまだ、などとなかなか踏ん切りが付かないある日。「DEP'T」という古着や家具などを扱う店で、かっこいい椅子を見つけた時、たまたま代表の松田さんと話をする機会を得た。ふたりは自分たちのことを話した。家具の店をやりたいこと、だけどお金をためるので、何ヶ月か経ってしまったことなど。すると松田さんはひと呼吸置き、こう言い放った。
「えらい時間かかってんねんなあ。はよせなあかんで。店やりたい子なんかなんぼでもおるんやから。二番煎じになったらあかん」。
　それを聞いたトリとヒリは、とたんお尻にボッと火が付いた。その帰り道には、すぐに店をつくろうと言い合い、さっそく1階の施工にとりかかった。壁やフローリングをきれいにし、照明を付け……。こんどは大工さんにも少し手伝ってもらいながら、でもペンキ塗りは相変わらず自分たちで。
　そしていよいよ明後日にオープンを控え、各々が黙々と、徹夜でペンキを塗っていた時。シンナーが充満し、ふたりとも意識が朦朧としている中で作業を続けていた。そのせいで油断をしたのか、電球が落ちてペンキに引火して床が燃え、あわや火事かという事態が起きた。
　ただそこからが早かった。トリはすかさず履いていたスリッパを持ち、パーンと火元をたたいたところ、火はすぐに消えた。ふたりはほっと胸をなで下ろした。
　そんないろんなすったもんだを繰り返し、1997年1月17日。TRUCK　FURNITUREにOPENの看板が掲げられた。

ARCHIVE - 2

ARCHIVE -2

カタログのこと

　大阪の片隅で、こじんまりと始めた店ではあったが、オープンして間もなくの頃から、自分たちで手を加えたハコで、自分たちでつくったものを売り、そこに住む、そんなスタイルが他になく、新鮮だったのか、取材の依頼が来るようになった。中には全国雑誌もあるので、すると地方のお客さんから「どこでどうすれば買えるんですか」という問い合わせの電話が、ひっきりなしに鳴るようになった。

　当時はまだ、今のようにウェブも発達しておらず、そのたびに「お店に来ていただかないといけないんです」「大阪の玉造というところにしかお店はないんです」と答えるしかなく、欲しいと思っている人に対して、不便な思いをさせてしまっていた。

　そこでヒリはひらめいた。お店になかなか来られない多くの人に、店の空気感が伝えられるものを何かつくれないだろうかと。

　カタログのはじまりは、言ってみればそういうこと。たったそれだけの気持ちで、9年間に通算3冊。ページ数はどんどん増え、vol.3に至っては、312ページという電話帳に迫らんばかりの超ボリュームたっぷりな冊子となった。

　にもかかわらず、店づくりと同じく、まずはとことん自分たちだけでやろうと試みるのが、トリとヒリの常に共通した、何にも頼ることのない潔さ、あるいは無謀さとも言えるところ。しかしそれを、どうにかこうにかしてほんとうにやりきってしまうのもまた、トリとヒリの何がなんだかなものごさでもあった。

　撮影場所は、当然のことながら家と店。vol.2はAREA 2、vol.3はシロクマ舎も使ったが、いずれにしても自分たちがいつもいる、自分たちでペンキを塗った、なじみの空間で。

　実際に生活している場所なので、いっぺんに搬入するわけにもいかない。また手伝いもおらず、家具もそのたび自分たちで運び込まなければいけない。vol.3はスタッフに搬入を手伝ってもらったが、それまでは店の定休日を狙って撮っていたため、あらかたはトリとヒリが、ひいこら言いながら運んだ。

　だいたいは、今ある家具を脇の見えないところにどかし、商品を置いて撮る。そしてまたどかし、違う家具を置く、撮る、の繰り返し。2冊めまで、何カットかは知り合いのカメラマンに助けてもらったりもしたけれど、3冊目に至っては、すべて自分たちで撮るようになった。

　カメラは、ヒリが愛用しているCanonのEOS kissという一眼レフ1台。むずかしい操作は分からないので、たいていはオートフォーカスで撮る。フィルムはその辺に売っているネガで、撮り終えるとすぐさま近所のスピードラボに走って、同時プリントをするのがいつもの決まり。なぜなら仕上がったのを見ると失敗も多く、せっかく家具を運んで撮ったのに、思うように写っておらず、また最初から撮り直しということもたびたびあるからだ。そんなこんなしているから、完成までにどれも約1年の歳月を費やした。

　いくら家具が替わっても、壁や床は同じ。そこが住んでいる場所だから当然という気持ちで、変化や新しさを求めてスタジオを借りるということはなかった。

　小道具といっても、通常の撮影のようにスタイ

リストが他から集めてくれるわけでもないので、すべて自宅の私物総動員。さっきまでコーヒーを飲んでいたマグカップをそのまま使う、なんてことはザラ。ただ、そんなにパンパン増えるわけではないので、おのずと3冊すべてにわたって同じものが何回も、何回も登場することだってある。

こんなこともあった。3冊めに登場する家具は本棚などの棚類が多かったので、撮影用の本を調達するために古本屋に行った。実際に読むために買うわけではないので、本のたたずまいなり、装丁を優先すべきなのだが、ふたりはどうしてもそうすることができない。結局買ったタイトルは

「カラスはどれほど賢いか」

「動物の大冒険」

「猫の秘話」

と、見事にわんにゃん関連のオン・パレード。やはり自分たちがほんとうに読まないものはいくら格好がよくても選べないのだった。

それは植物もしかりで、ヒリがいつもベランダで育てているものをそのまま持ってくる。だからvol.1ではまだちいさかったゴムの木の、天井ほどの高さまで育ったようすがvol.3で登場、みたいなことも起きてくる。

それより何より、一番よく「どうやってるんですか？」と尋ねられるのはわんにゃんのカット。いつもふたりのそばにうろちょろしているから、写ってしまうのはしようがなく、とくにBUDDYはヒリがカメラを持つと、まるで「あ、僕の出番ね」とでも言いたげに、のそのそと前にやって来てしまう。「ポイントに犬が欲しいからここでおすわりして」なんてことはまずない。それより「ちょっと今回はいりませんから」とお断りすることのほうが多いくらい。

しかし他人に撮られる時は、それがプロのカメラマンであっても表情がぜんぜん違う。そういう時に限って、BUDDYはかしこまって笑わないのだ、決して！

確かにプロの側からすれば、これらの方法は実にアクロバティックで、ふつうやってはいけない、ツッコミどころ満載のものだろう。禁断の、掟破りな技もたくさん繰り広げているかもしれない。だからまずもって他のカタログと同じ土俵で比べ、語るべきものではないのは、じゅうじゅう分かっていた。その上でトリとヒリには、どんなに腕のいいカメラマンとセンスのいいスタイリストが束になってもできないであろう、自負できることがひとつあった。

それは、ぜんぶにまったく嘘がないこと。

家具も、小道具も、空間も。もともと自分たちがつくって、選んだものであること。

自分たちでつくったものだけに、どう見せたいか、どこがチャームポイントなのかは、一番よく理解している。そういうつくり手の目がそのまま、ファインダーをのぞく目であるということは、きっとすぐには見分けがつかなくても、深いところで何かが違うはず。そうトリとヒリはひそかに、でも強く思っている。

そしてもうひとつ。最初は空気感を伝える目的だったのが、ちゃんと家具を売ろうということになり、やるからには徹底させたいと思い意識したのが、想像しうる限り、見る人に親切に分かりやすくすること。たとえば巻末にすべての商品のサイズや素材、値段をアイテム別に日本語で表記したデータを付ける。データとイメージがすぐに結び付く

よう、ページ数を必ず表記し誘導する。また同じ家具でもコーディネートや張り地のパターン、角度などを変えて、より想像しやすいようにさまざまなバリエーションを見せる。

さらに、家具の質感や空気感がきちんと伝わるよう、写真の色には本気でこだわった。vol. 2では2泊3日で計55時間、vol. 3では2泊3日と1泊2日で、なんと計90時間も印刷所に泊まり込み、ぶっ通しで立ち会いをした。それは、印刷所史上初の記録的な長さだった。

ここはもうちょっとアカを引いて欲しい、こっちはスミを入れて欲しい……と、どんな細かいところも譲らず、気が遠くなるほど何回も校正が繰り返される。最初は現場の人たちもどこか訝しげだったのが、ふたりの熱意と真剣っぷりにあてられ、プロ魂をゆさぶられたのだろう。最後はふたりが言うまでもなく、もう一回やり直してくると言ったり、他のラインの職人さんも寄って来ては、みんなでうーむと悩んだり。最後の1ページがOKとなった時は、どこからか拍手が湧き起こり、固い握手を交わしていた。

家具のこと

確かに最初は思いつき。だけど、やるとなったらとことんまで。それは当然、家具づくりに対しても同じ。そこに注ぐ労力はハンパではない。

それを如実に示したエピソードがある。

いつもはトリとヒリ、ふたりの話し合いによって進められる家具づくりだが、ひとつだけ例外があった。それは、友だちの料理家・ケンタロウといっしょにつくったFKソファだ。

ケンタロウとは、ひょんなことから知り合った。

トリとヒリが東京の街を歩いていると、前からケンタロウがこっちに向かって歩いて来たのだ。ふたりはすぐに、あのケンタロウであることが分かった。なぜなら雑誌のエッセーなどを読んで、かねてから彼のつくる料理だけではなく、洋服のセンス、選ぶ車や音楽の趣味などに、どこか近いものを感じていたから。トリとヒリはうれしくなって、思わず声をかけた。

ケンタロウにとって、街でファンに声をかけられることは言わばよくあること。それでもいつもは握手なりサインなりをして別れることが多いのだが、トリとヒリが目の前に現れた時、彼らの持つ雰囲気に、どこか惹かれるものがあった。そしてふと「何をやってるんですか？」という言葉が口をついて出た。するとトリとヒリは家具屋ですと言い、よくよく聞くと、ケンタロウがかねてからカタログを見て気になっていた、あのTRUCKであることが発覚した。

そう、おたがいのことを知っていたのだ。

それから連絡先を交換し、ヒリとトリとケンタロウの付き合いは始まった。

ヒリとトリは、おたがいが出会った頃、何もかもの価値観があまりに同じで、びっくりしたことを思い出していた。それくらいケンタロウもまた、好みや考えていることがとても似ていた。

東京ー大阪と離れているので、しょっちゅう会うことはできないけれど、それでもどちらかが仕事で行った時は必ず会い、小学生のようにだらだらと、飽きずにいつまでも話をする仲になった。

そんなある日、ケンタロウがポツリ、ソファが欲しいと言い出した。もちろんTRUCKにはいろんなタイプのソファがすでに出ていたし、他の店

でもたくさん見ていた。しかしこれぞというものが未だに見つからないというのだ。

たとえば、ケンタロウが当初買う候補に挙げていたのはTRUCKのレザーソファで、それはとてもいいものだけれど、わりとかっちりとしたつくりなのが気になった。それよりも、もっとだふっとした心地のものがよかった。

イメージに限りなく近かったのが、そのあと出た、ラウンジソファ。座り心地は確かに秀逸で、これにしよう！　と一度は決めかけたが、なんというか贅沢を言えばもっとこう、なんでもない感じのものがいい、とケンタロウは言った。

だふっとした、なんでもないソファ。

たとえば、アメリカの家庭のリビングにどーんとあって、どこで買ったか誰に聞いても分からず、あたかもここにもともとあったかのような居座り方をしたソファ。クッションがいくつも乗っかっていて、身体の大きなアメリカ人が、だらしなく寝転がっているような。

トリとヒリは、ケンタロウの言うイメージが、はっきりとアタマに思い浮かんだ。そして自分たちもこういうソファが欲しいと思った。

つくろう。こうしてだふっとしたなんでもないソファプロジェクトはスタートを切った。

まずはイメージのもととなるような資料を探そうと、手当たり次第、インテリアの本や雑誌をめくった。しかしなかなか思うようなものは、いっこうに見つけることができなかった。たとえば鋲が打ってあるなど、ディテールさえはっきりしていれば、そこからふくらましていけばいい。ただそれすらも分からないので、どこを基準に考えればいいのか、見当もつかなかったのだ。

そこでもう一度初心に帰り"だふっとした、な

んでもなさ"というのは、どういうところに表れるのかを考えようということになった。

そして街を歩いていくうち、ふと目に止まったのは、コンサバ系の洋服屋さんに置いてあったレザーソファ。本来ならば、ヒリは絶対着ないような洋服だったが、さも買うようなそぶりを見せつつ、ぐるりとひと周りしてもらい、その間トリとケンタロウは、待ちぼうけの客のふりをしながら、どちらも手はソファのサイズを測っていた。

それは、おたがいの生活でも常におこなわれ、どこにいても、これぞというソファを見つけると、サイズチェックはひそかに繰り返された。

それぞれが集めたデータを持ち寄り、照らし合わせてみると、一番のポイントは座面の前後の長さ、つまりは奥行きだということが分かった。

本来、日本で使うことを想定してソファをつくる時、部屋や入口のサイズを考慮すると、それほど奥行きをとることはできない。だけど実はそれこそが、だふっとした感を象徴するものだということが分かった。

そしてトリは、かなりの思い切った奥行きのあるソファをサンプルでつくった。そして座ってみた。これはこれでかなりいい感じのところまではいったものの、でもまだ、もう少しイケるのではないかという結論に至った。

そしてもうひとつ、思わぬ落とし穴があった。実は今回、だふっとした感を出すためにトリが試行錯誤したのが、中身になんの素材をどのくらい詰めるかということ。配合はうまくいったものの、クッションの数を3つにしたので、そのせいで今ひとつだふっとした感のないものになってしまった。

また高さはちょっとあったほうがいいということになり、下に本を置いてみたり、靴を脱いで座ってみたりと、いろんなことを試してみた。
　張り地もいろいろと考えた末、ここはあえてオッサン臭さをぜひとも出したいということで、コール天（コーデュロイと言うよりもふさわしい）をオリジナルでつくった。
　それらの意見をぜんぶふまえ、もう一度サンプルをつくることにした。
　そしてようやく、約1年の歳月をかけてつくったソファに座った瞬間、3人は顔を見合わせた。
　「これやったんとちゃうん!!」
　トリはこのソファを"FOR　KENTARO"と"FUKA FUKA"の意味を兼ね、"FKソファ"と名付けた。

　こんなふうにTRUCKの家具は、ひとつひとつにうんと時間をかけ、びっくりするほどていねいにつくられる。見えるところだけをきれいにし、裏はベニヤでバンバンとつくった、大量生産的な家具とはまるで真逆の、すみずみまできちんと行き届かせた耐久性のあるつくり。
　また使う人と同じ目線の高さで向き合い、どうすれば使いやすいか、気持ちいいか、うれしいかという直感にどこまでも正直に、忠実にカタチにしている。
　だから理屈だけじゃとうてい出せない味がにじむ。「ほらほら、いいでしょ」とでもいいたげな、愛嬌のある表情が生まれる。
　しかしながらトリは、それらの家具を「作品」と呼ばれると、かなりむずがゆい気持ちになった。なぜなら作品という言葉の響きは、いかにも精魂込めてつくりましたという重さまで、人に与えて

しまうような気がするから。
　そう、あくまでこれは商品なのだ。
　あまり神経質にならず、肩の力を抜いて、ふつうに道具としてバンバン使って欲しい。もし傷やシミがついても気にせず、これこそ自分だけの味だと思って育てていくくらいの心持ちで。
　そのために、強度はちゃんとしてなきゃいけないし、ていねいに、いいものをつくらなければいけない。それは何より、トリとヒリが自分たちの毎日の生活の中で、しかるべくして導き出した、ひとつの確かな答えとも言えるものだった。

ARCHIVE - 3

ARCHIVE - 3

AREA 2のこと

　違うのになあ、と思う。
　いやいや、そういうことではなくって。と、アタマの中で、言うべきか、言わざるべきかがぐるぐる回る。かといって、じゃあどうなんですか？と問われて、自分たちの言葉でうまく伝えられるかどうかは、かなりのパーセンテージで危うい。それに万にひとつちゃんと伝わったとしても、その人からさらに別の人にまで、まんま伝わるかどうかは、これまた分からない。
　トリとヒリは、そうしていつも悩ましい気持ちになるのだった。雑誌のインタビュアーやお客さんに、いろいろなことを尋ねられるたびに。
　中でもとりわけ悩ましい度が最大級だったのが、AREA 2をつくった時だ。

　TRUCKの店がオープンし、初めの1年間は無休でがんばった。1ヶ月めで初めて「これ下さい」とお客さんに言われた時、トリとヒリは思わずこう言った。「えっ、ホンマですか？」と。
　ふつうでは考えられないことなのだけれど、その時初めてお釣りを用意してないことに気付いた。トリはあわてて自分の財布からお釣りを出した。
　そんな失敗がありながらも、やがて少しずつ店は知られるようになり、家具のラインナップも徐々に増えていった。そしていつしか、店1軒のスペースでは、とてもじゃないけれど見せきれないというほどの数になった。
　たとえばカタログで見て、実物を見てみたいというお客さんが来たとする。それでお目当ての商品が展示されていないのは、やはりさみしいだろうし、こちらとて申し訳ない気持ちになる。
　それで最初の頃は、2階の住まいで実際に自分たちが使っている家具を公開していた。
　家具が実際に使われている雰囲気を感じて欲しいとか、そういうたぐいのことではなかった。ただ、せっかく来てくれるお客さんのことを考えると、ひとつでも多く見せたい。そうせざるを得ないという感覚に、どちらかといえば近かった。
　やがて、そんなギリギリ付け焼き刃的なことも、ふたたび限界となった。商品はどんどん増えていく。だけど、窮屈なほど店に家具を詰め込むのはどうしてもしたくないことだった。
　さらに店よりはるかに手狭で、どうしようもなくなっていたのが倉庫と工場。店の裏のわずか10数坪のスペースで、切って、組み立て、梱包してという作業も次第に追いつかなくなってきた。
　はて、どうしようかと悩みあぐねていた、そんなある日。ちょうど裏手の古い3階建ての雑居ビルが開いたという知らせが飛び込んできた。これも何かの縁かもしれないと思ったふたりは、そのビルを1棟ごと借りることにした。

　はなっから店にするつもりはなかった。
　トリとヒリの中ではここを、かねてからの懸案だった、倉庫と工場をメインにした場所にしようと思っていた。そして少しのスペースに家具を置き「店に出せてないもんがまだありますから」と、裏に案内するという感じにしたかった。
　なのでおのずと機械やら材木やらを置く必要がある1階は工場に、2階は作業場兼パーツなどストックしておく場所に、そして家具などの商品を置く場所を3階にしようとなった。

そうなったのはいいけれど、1軒めの時と大きく異なるのは、店の営業をしながら、場所づくりも同時にしないといけないこと。ふたりはそれでも自分たちだけでやることを、当然のように選択していたため、思った以上に作業は進まず、時間はうんとかかってしまった。

結局ビルを借りてから半年経った1999年10月、2番めの場所「AREA 2」は完成した。

ヒリによる手描きのサインは入口にあったが、ライトを当てたり、分かりやすい看板を付けることはしなかった。3階への階段を上るには、2階でやる作業が見えてしまうことになるけれど、それもしょうがないかと柵だけを置くことにした。

すべてもとはといえば、店ではないからこそしたことで、決して狙ったわけではない。しかし雑誌には『ものづくりの現場が、つくり手の顔が見えるお店』としてたびたび紹介され、それを見たお客さんがわんさと訪れるようになった。

であればと、3階のスペースを本格的にきちんとしたり、わざわざ来てくれた、すぐには家具を買えないお客さんたちに、おみやげにもなる雑貨を置くスペースをつくったり。そうして要望のいくつかに応えていくうちAREA 2は、いつの間にやらいっぱしな店になっていたのだった。

トリとヒリは、そんな思いがけない反響に苦笑するところもあるのだった。正直なところ。

これからのこと

ヒリとトリが出会って、ひとつめのビルを借りてから、ちょうど10年。その間にカタログは3冊生まれ、商品の数もすごく増えた。何より最初の頃よりも経験を重ねたぶん、よりイメージに近いものにいち早くたどりつけるようになった。

AREA 2ができ、ヒリのアトリエであるシロクマ舎ができた。確かに100歩以内で行けるほどの近さではある。それでも結果として、場所が増えてしまったことは、ふたりにとって決して喜ばしいことではなかった。

なぜならヒリとトリにとって興味があるのは、TRUCKを大きくしていくことではなく、あくまで自分たちのペースで、ずーっと長くごきげんさんにやっていくこと。ゆえにスタッフもできるだけ少数精鋭で家族的に。そのために、規模を縮小してもいいくらいの気持ちだった。

それともっと単純に、場所が3つになったことによる不便さもあった。特にヒリは、たとえばぱっとアイデアが思い浮かんで、あの資料が見たいとなった時に、シロクマ舎まで取りに行かなければならないのは、おっくうだった。やはり、寝て食べる、それだけの場所というより、24時間、生活とものづくりが常に直結、密着するようにしていたいと感じていた。

トリもまた、工場を若いスタッフたちにほぼ任せるようになったことが残念だった。元来、自分で手を動かすことが好きなトリにとって、いつでも何かをつくれる場所がそばに欲しいという気持ちは、日増しに強くなっていた。

そこでふたりは今、次の居場所を探している。おたがいの基地と、生活をする場がすべてひとつになった大きな空間。わんにゃんたちがもっとのびのび過ごせるように、自分たちのものづくりが、もっとしやすいように。

それは言ってみれば、商品と家族が増えたというだけで、トリとヒリが10年前に思い描いていることと、まるで何も変わっていないのだった。

TRUCK

540-0005 大阪市中央区上町1-6-10
TEL 06.6764.5405 FAX 06.6764.5404

AREA2

540-0005 大阪市中央区上町1-5-5
TEL/FAX 06.6764.5544

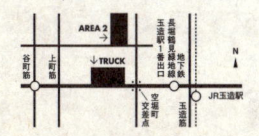

http://www.truck-furniture.co.jp/

AFTERWORD

D&DEPARTMENT PROJECT
代表　ナガオカケンメイ

　長いこと、いろいろとやっていると、ものごとって、何をやっても結局はいっしょだということに気付きます。そこにある要素は、仕事の内容がいくら変わっても、変わらないのです。カフェだって、新聞配達だって、コンサルタントだって、スキージャンプの選手だって、陶芸家だって、主婦だって、企業の社長さんだって……。労働とお給料と人間とのやりとり。そして、自分の時間を使うということ。

　誰もが憧れるカフェの店員も、あの有名ホテルのスタッフも、最初の新しい環境と気持ちは、やがて馴染み、慣れてくる。

　カフェのスタッフを4年間やっていたことがありました。何度となく辞めようと思った時々に、それを引き止めてくれたのは同僚でした。遅刻しそうになって、バイトだし、このまま行くのやめてしまっても……と思った時に、そうさせなくしてくれたのもいっしょに働く仲間でした。言葉をくれたわけではありません。ただ、いたのです。

　もうひとつあるとしたら、「自分の目標」です。でも、僕は思います。その「自分の目標」よりも、「いっしょに働く仲間」の魅力のほうが大きい。

　僕らはよく、ものに憧れることがあります。しかし、過去を振り返って思い出してみて欲しいのです。ものへの憧れは、やがて次の魅力ある「もの」にとって代わられます。魅力あるものは次から次へと僕らの目の前に現れて、そして、虜にしていく。しかし、それは永遠ではありません。なぜなら、それは、「もの」だからでしょう。もし、違っていたとしたら、その背後には、やっぱり「人」がいるのです。大好きなそのものに関わる先人が。そして、その仲間がいるから、その「もの」が好きでいられる。がんばっていけるのです。

　D&DEPARTMENTをつくる時、僕の目の前にいたのは3人の先人でした。ひとりは東京駒沢の「バワリーキッチン」を生んだ山本宇一さん。DEAN & DELUCAを生んだディーンさん、デルーカさんの2人。そして、大阪の偉大な先人、TRUCKを生んだ黄瀬さん夫婦です。

　この3つの場所には、何度も通いました。そして、そのどれもが、僕らよりも先に何かに気付き、新しさを生んで、すでに存在していたのですから、それらを発見した日の衝撃は忘れられません。それは、やっとの思いで「今、いるところが自分のいるべき場所とは違う」ということに気付き、勇気を振り絞って、そこでいっしょにいた仲間と別れ、新しい「希望に満ちた理想の土地」への旅へ出た気持ち。もちろん、新しい土地には人の気配などないと思っ

ている。しかし、どこかで仲間がいたらいいなと思ったりもする。でも、その土地はどこにあるか分からないし、その理想が何かすら、自分でも見えない。

　まさしく混沌としていたある日、「大阪におまえが言うことに近い場所がある」と言う友人の知らせを頼りに、その場所へ向かいました。そこには僕らが「形にしたいけれど、どうしたらいいかまったく分からなかった」ことの答えが、すでにふつうに、街の風景としてありました。「TRUCK」でした。

　その日は定休日でした。急遽、予定してあったその日の帰京を変更し、一泊して店内へ。考え抜かれた店がどれほど「ものの配置」で苦労しているか、なんとなく想像はつきました。そして、この目の前の店内のひとつひとつのものが、僕には「将棋の指し手」のように見えたことを思い出します。もう、ここ以外の設置場所はない、という。植物と天井の距離も、商品と窓との関係も、小物を入れる什器も、コンセントの位置も……。

空間とその空気感を商品のひとつにしたいと、なんとなく思っていました。だから、この正解はかなり衝撃でした。そして、僕はD&DEPARTMENTをつくったのです。

　売れるものを売る。お金を稼ぐ。いい車に乗る……。そのどれもが、短い人生の中でいかに意味のないことか、最近、よく考えます。

　一度しかない人生です。手に入れたいのは「充実」なのです。そして、その充実を手に入れるには、どうしても「仲間」が必要なのでした。

　それは、自分の勝手な憧れでもいいのです。僕は勝手に「TRUCK」に憧れ、何かあると、店に遊びに行きました。そして、そういう場所がある自分の「充実」感も感じるのでした。

　2号店をつくるなら、大阪に。それは商売を考えた選択ではもちろんありません。そこにTRUCKがあるからです。もっともっと意識していたいからでした。

　TRUCKは家具屋さんにも見えます。しかし、TRUCKが販売しているのは、センスです。

　新しく出版される本にコメントを。そう黄瀬さんから連絡をいただき、心の中に「充実」が溢れました。そして、今、いろんな思いを込めて書いています。

　何をどう書いたらいいか、とまどっていて、正直、分かりませんが、ただ、ただ、お礼を言いたいのです。ありがとう。TRUCK。

TRUCK FURNITURE

Tokuhiko Kise
Hiromi Karatsu

黄瀬徳彦・唐津裕美／1997年1月、大阪にオリジナル家具を扱う「TRUCK」オープン。1999年10月、「TRUCK」の裏手に「AREA 2」オープン。2004年2月、唐津裕美が好きな布や革、木、石などの素材を使った雑貨やイラストなどを製作する「シロクマ舎」設立。現在に至る。

著者：TRUCK FURNITURE（黄瀬徳彦・唐津裕美）
文・ディレクション：山村光春（BOOKLUCK）
アートディレクション：野口美可
デザイン：miranda co.

撮影：関めぐみ
　　　TRUCK FURNITURE
　　　　（p31、p40-43、p46-47、p69-p70、p80-84、p88-92、p97、p99、p112）
イラスト・コラージュ：唐津裕美

家具をつくる、
店をつくる。
そんな毎日。

MAKING TRUCK　（メイキング トラック）
2006年4月6日　　第1版　第1刷発行
2007年4月23日　　第1版　第3刷発行

著　者　TRUCK FURNITURE（トラック ファニチャー）
発行人　高比良公成
発行所　株式会社アスペクト
　　　　東京都千代田区神田錦町3-18-3錦三ビル3F　〒101-0054
　　　　電話 03-5281-2551　FAX 03-5281-2552
　　　　http://www.aspect.co.jp
印刷所　大日本印刷株式会社

本書の無断複写・複製・転載を禁じます。
落丁本、乱丁本は、お手数ですが弊社営業部までお送りください。送料弊社負担にてお取り替えいたします。
本書に対するお問い合わせは、郵便、ＦＡＸ、またはＥメール：info@aspect.co.jpにてお願いいたします。
定価はカバーに表示してあります。

©TRUCK FURNITURE 2006 Printed in Japan
ISBN978-4-7572-1237-4